DANIEL POIRION

LE ROMAN
DE LA ROSE

CONNAISSANCE
DES
LETTRES

COLLECTION DIRIGÉE PAR RENÉ JASINSKI

HATIER 277897

Photo couverture

The Beinecke Rare Book and Manuscript Library,
Yale University

ISBN 2 - 218 - 02638 - 4

Avant-propos

Il n'est pas toujours facile d'attribuer une œuvre médiévale à tel ou tel auteur. Ne se faisant pas de la création littéraire la même idée que nous, les écrivains d'autrefois ne prenaient pas toujours la peine d'établir leur identité. Ni l'explicit des copistes, ni les allusions faites par d'autres auteurs n'étaient infaillibles. Mais le Roman de la Rose nous renseigne clairement sur sa double paternité : presque exactement au milieu du livre, un des personnages, le dieu Amour, nomme ses deux « serviteurs » qui entreprendront de raconter les événements en cours, et d'exposer les enseignements qui s'en dégagent. L'artifice de cette présentation se renforce du fait que le narrateur se donne comme le personnage principal, l'amoureux qui vit les aventures. Nous apprenons ainsi que le jeune homme, auquel Amour est venu porter secours, s'appelle Guillaume de Lorris. Et c'est lui qui commencera le récit de ses aventures, se situant ainsi dans la lignée des poètes antiques, Tibulle, Gallus, Catulle et Ovide. Mais il s'arrêtera aux vers qu'Amour cite avec précision (4023-4028). Ensuite viendra Jean Chopinel. Né à Meung-sur-Loire, il voudra terminer le roman, le menant jusqu'à la cueillette de la rose, plus de quarante ans après la mort de Guillaume. C'est donc Jean de Meun, dit Chopinel, qui parle ici de Guillaume. A la différence de celui-ci, il renonce au rôle de héros, quand il raconte l'histoire de l'amoureux. Il intervient dans une autre perspective poétique, moins subjective, et cette distance qu'il se donne par rapport au récit s'accompagne d'une pleine conscience de sa qualité d'écrivain. Par la bouche d'Amour, il ne se ménage pas les compliments, sous forme de vœux et de prophéties. Selon Amour, son talent de poète doit s'affirmer dès qu'il sortira d'enfance, faisant entendre partout la bonne doctrine qui mettra les amants à l'abri de Raison et de Jalousie. On peut donc penser que le Roman de la Rose, ainsi désigné, marque le début de sa carrière.

En effet, si nous n'avons pas d'autre renseignement sur Guillaume de Lorris, Jean de Meun nous est connu par d'autres écrits. Si l'on y joint les renseignements tirés de notre Roman, on peut tenter une esquisse de sa vie et de ses œuvres. Il est donc né à Meung, dans l'Orléanais, où le souvenir de Guillaume a pu rester plus vivace qu'ailleurs, Lorris se trouvant dans la même région. Jean de Meun a fait des études qui lui ont valu le titre de maître. Il s'apitoie sur le sort des étudiants partis à l'étranger pour se perfectionner en « philosophie », et qui ne trouvent pas auprès des princes le soutien qu'ils méritent (v. 18710-18724). Un Jean de Meun, archidiacre à Orléans, est ainsi allé à Bologne. Est-ce notre poète? Ce dernier en est tout cas un clerc, fier de sa « lestreüre », sa culture (v. 8797), bien au courant des mouvements d'idées qui agitent les universités, notamment celle de Paris. Pauvre, sans doute, dans sa jeunesse (v. 10681), il a plus tard possédé, rue Saint-Jacques, une maison bien connue des Parisiens au début du xive siècle.

Il malmène les ordres mendiants dans le Roman de
la Rose, *mais il a pu revenir à de meilleurs sentiments
sur ses vieux jours. Il a surtout cherché l'appui des
grands seigneurs. Ainsi le* Roman de la Rose *fait
un éloge appuyé de Charles d'Anjou, roi de Sicile
(v. 6615), et de Robert d'Anjou (v. 18671), sans
doute dans l'espoir d'obtenir leur faveur. Jean écrira
ensuite des traductions pour Jean de Brienne, Comte
d'Eu, et pour le roi de France Philippe IV le Bel.*

Dès le Roman *notre lettré s'essaie à la traduction,
et semble annoncer celle qu'il va faire de la* Consolation
de Boèce *(v. 5010) ainsi que d'autres « gloses » (v. 7168).
Auparavant il aura traduit le* De re militari *de Végèce
sous le titre de l'*Art de chevalerie *(1284), et les* Épîtres
*de maître Pierre Abélard et Héloïse. Ces trois textes,
bien connus à la fin du Moyen Age, nous ont été conservés.
Mais ont disparu deux autres ouvrages qu'il s'attribue,
l'un traduit de Giraud de Barri sous le titre* Les Merveilles
d'Irlande, *l'autre traduit d'Aelred :* le Livre d'Espirituel
Amistié. *C'est à la fin de sa vie qu'il a dû composer
le* Testament, *où il s'excuse d'avoir fait « mainz diz
par vanité », et le* Codicile. *Il est mort en 1305. Les
allusions du* Roman de la Rose *indiquent qu'il écrivait
cette œuvre entre 1270 et 1285; Guillaume de Lorris
aura donc rédigé sa part vers 1230-1245. On pense
que le succès du* Roman *est dû, d'abord, à la continuation
et à l'amplification de Jean de Meun, même si le jugement
moderne est différent. On s'étonne de voir deux textes
aussi dissemblables réunis dans une même adoration.
Un des problèmes posés par ce chef-d'œuvre est en
effet de définir le rapport existant entre deux parties
rédigées à quarante ans d'intervalle. A première vue
il y a entre elles toute la distance qui sépare l'élégance
courtoise de la truculence satirique.*

Pour les lecteurs des XIVe *et* XVe *siècles il y avait
là sans doute un ensemble dont les contrastes confirmaient
la logique, en marquant une progression. La* Querelle
du Roman de la Rose, *qui divise les lettrés vers 1400,
nous montre qu'on prenait parti globalement pour*

ou contre l'œuvre entière. L'analyse de celle-ci ne portait pas sur la genèse, l'authenticité, l'originalité, mais sur le sens impliqué par la composition. Dans cette perspective on peut dire qu'au Paradis courtois du début s'oppose le Paradis chrétien évoqué vers la fin du livre, et l'on va de l'un à l'autre par une sorte de descente dans l'Enfer de Faux Semblant, et une remontée dans le Purgatoire de Nature. Comparé à la trilogie de Dante cet itinéraire spirituel reste à l'état d'esquisse. Il ne fait que recueillir, le long d'une ligne démonstrative, un héritage culturel hétéroclite. Dans le décor allégorique l'invention poétique n'arrive pas à refondre totalement la littérature antérieure. Malgré tout, pour les lecteurs de France, ce texte bicéphale a joué un rôle essentiel, comme la Comédie de Dante pour un public évidemment beaucoup plus large. Résumant les idées médiévales en matière d'amour, le Roman de la Rose en prépare le dépassement. Il constituera la référence essentielle de tous les poètes français depuis Guillaume de Machaut jusqu'aux Grands Rhétoriqueurs. La difficulté que nous éprouvons à définir la littérature profane de la fin du Moyen Age tient, entre autres causes, à l'ambiguïté du texte qui en recueille la culture.

Devant ce palimpseste, le lecteur moderne cherchera à distinguer les deux talents qui s'affrontent en se superposant. Il sera peu aidé par les études de langue : tout reste à faire en ce domaine; au reste nos auteurs, originaires de pays voisins, s'opposent davantage par ce qu'on pourrait appeler leur écriture, si le mot n'était pas déformé aujourd'hui par une certaine emphase pédantesque. Disons plutôt, puisqu'il s'agit d'un songe, que les deux voix, dont tant de scribes ont transcrit le souvenir assez fidèlement, nous décrivent deux mondes imaginaires aussi dissemblables que le Paradis vu par les Limbourg, et le Jardin des Délices vu par Jérôme Bosch. Encore ne faut-il pas assimiler l'histoire de la poésie gothique à une évolution que caractérise la peinture de la Renaissance.

PREMIÈRE PARTIE

GUILLAUME DE LORRIS

1 SONGE ET ALLÉGORIE

Livre mystérieux, le *Roman de la Rose* invite le lecteur à l'émerveillement, à l'inquiétude, à la spéculation intellectuelle. Inévitablement on passe de la lecture à l'exégèse, et de la rêverie poétique à l'exercice de l'herméneutique. Sommes-nous mieux armés qu'autrefois pour nous lancer dans cette entreprise? Nous avons appris la complexité de toute œuvre littéraire. Nous savons que nous ne pouvons pas prétendre retrouver le sens, comme une communication directe, surprise par une oreille indiscrète, entre un auteur et un lecteur. Si le texte est porteur d'un message différé, nous ne sommes pas sûrs d'en saisir la portée voulue au départ. La sagesse est d'étudier d'abord la composition, de voir les mécanismes déclenchés par la lecture, de faire l'inventaire des procédés de fabrication. Ensuite on s'interroge sur le fonctionnement du système. Nous voilà donc devant un objet étrange, ce texte conservé dans plus de 250 manuscrits, souvent merveilleusement enluminés. Tout un réseau de signes, de marques, d'emblèmes sollicitent notre attention. Nous sommes sensibles à une certaine harmonie qui se dégage de l'ensemble. Mais nous sentons qu'il faut analyser le rythme, les divers registres, les résonances subtiles pour percevoir la signification globale de l'œuvre.

L'auteur lui-même, Guillaume de Lorris, comme le désignera plus tard son continuateur Jean de Meun (aux vers 10496-10534), prend soin, dès les premiers octosyllabes, de donner à son lecteur quelques directives. Dans une sorte de prologue, qui s'étend sur 44 vers, il définit son intention et son procédé littéraire, en des termes chargés d'allusion. Le thème de ce préambule ressemble à un paradoxe : ce que l'auteur va dire est vrai, précisément parce qu'il s'agit d'un songe. Les premiers mots sont en effet pour s'opposer à l'opinion courante qui fait rimer « songe » avec « mensonge » :

> Aucunes genz dient qu'en songes
> n'a se fables non et mençonges... [1]

Il est habituel de voir un auteur, dans son prologue, opposer la vérité de ce qu'il va dire à la « fable » des autres. Mais le recours au songe, comme fiction encadrant un récit, complique évidemment la tâche du présentateur. Ainsi Raoul de Houdenc, composant le *Songe d'Enfer* (entre 1215 et 1225), rectifie la formule traditionnelle pour justifier la mise en scène de la « vision » dont il entreprend le récit : « En songes doit fables avoir », dit-il, « et pourtant le songe peut devenir vrai ». L'auteur anonyme de la *Voie de Paradis*, continuant et corrigeant le *Songe d'Enfer*, nous invite à écouter sa narration en ces termes : « Or escoutés, seignor, un songe. » Mais à la fin de son récit il avoue : « Que n'estoit point voirs (vrai), mais mençonge ». Étonnante révélation, mais qui s'explique par l'intention d'établir ailleurs la vérité de la fiction : la *Voie de Paradis* est suivie

---

1. Les citations sont faites d'après le texte publié par Félix Lecoy, dans la collection des Classiques Français du Moyen Age, 3 vol, Paris, Champion, 1965-1970. Les passages en ancien français sont imprimés en petits caractères. Pour faciliter la lecture nous avons transcrit en français moderne d'autres passages, trop longs ou sans intérêt linguistique par rapport à notre analyse. Ces passages sont imprimés en caractère ordinaire.

d'un commentaire qui donne le sens moral de l'aventure. Le songe, quand il n'est pas le support de l'ironie, comme dans le *Songe d'Enfer*, tend à l'ornement. C'est la scène qui prépare la leçon de morale, comme dans un apologue.

Telle n'est pas la conception que Guillaume de Lorris se fait du songe. Il cite la valeur divinatoire, ou plus précisément prémonitoire de certains rêves, comme le sien :

> Mes en ce songe onques riens n'ot
> qui tretot avenu ne soit
> si con li songes recensoit.

Ainsi la curiosité du lecteur est éveillée par le paradoxe, le renversement du lieu commun (« tout songe tout mensonge »); et l'allusion à un événement merveilleux, la vérification par l'expérience de la valeur magique du songe, préparent à une interprétation surnaturelle. Enfin, pour mieux fonder sa prétention, et pour donner à ce prologue une garantie encore plus forte que l'expérience aux yeux des clercs, on se réfère à l'autorité de Macrobe. Ce sera la seule référence pédante que nous trouverons dans le texte de Guillaume de Lorris. Elle n'en est que plus intéressante. Elle confirme le prestige d'une certaine tradition de la culture et de l'écriture médiévales en latin. Du cinquième siècle au douzième, de Martianus Capella à Alain de Lille, toute une littérature allégorique s'est développée en Europe. Le *De nuptiis Philologiae et Mercurii*, du premier auteur, a ébauché les grandes lignes du système culturel occidental, tout en transmettant des légendes parfois puisées aux sources ésotériques de la basse latinité et des Alexandrins. Le *Commentaire du Songe de Scipion*, attribué à Macrobe, définit une esthétique littéraire dans la perspective d'une quête de la vérité. Au moment où les écrivains en langue « vulgaire » essaient d'élaborer un système littéraire français, ils se réfèrent naturellement à la tradition, savante mais vivante, de la littérature néo-latine. Non sans un sensible décalage : il faut laisser le temps à ces œuvres difficiles de pénétrer un public moins soucieux de philosophie et de théologie.

Parmi les procédés d'écriture dont les auteurs français cherchent les modèles latins, l'allégorie est à la fois le plus élaboré et le plus fondamental. Le plus élaboré, car elle réunit toute une hiérarchie de figures et d'ornements enseignés par la rhétorique. Le plus fondamental, car combinant une expression imagée à une logique abstraite, elle répond bien à la mentalité de l'époque. Associant les deux démarches de la métaphore — qu'elle prolonge — et de la personnification — qu'elle dramatise —, elle renforce l'imagination provoquée par le langage. A une époque où l'on croit pouvoir déchiffrer le monde comme un livre écrit par Dieu, l'allégorie fait déboucher la rhétorique sur la métaphysique.

Les œuvres médiévales en latin ont en effet entrepris l'exposé du système du monde sur le mode allégorique. Quelques métaphores de base suffisent à en figurer les lois : la guerre, le mariage, le voyage traduisent les conflits, les synthèses, les découvertes de la pensée aux prises avec le mystère cosmique. La *Psychomachia* de Prudence montre comment transformer en personnages concrets des qualités invisibles. Le *De nuptiis* de Martianus Capella, en décrivant les vêtements de Jupiter et de Junon, nous suggère l'ordre du monde. Le *De mundi universitate* de Bernard Silvestre donne, par le voyage, une représentation dynamique de ce même ordre. Le *De Planctu Naturae*, d'Alain de Lille, fait apparaître ses personnages dans une « vision », cependant que son *Anticlaudianus* se sert d'une affabulation épique pour exposer un système moral et métaphysique. Mais il faut remonter jusqu'à Claudien lui-même, à son *Épithalame pour Honorius*, où nous voyons un verger paradisiaque avec deux sources, l'une douce, l'autre amère, verger où vivent Amores, Metus, Voluptas et Juventus. Une chose

est sûre : la permanence d'un certain goût, attestée
par l'unité de cette littérature qui cherche à formuler
ses grandes idées en ciselant de longues séries de
descriptions et de discours entrelacés. Peut-être
aussi l'effacement de la mythologie antique comme
système d'explication du monde rend-il nécessaire
le recours à d'autres séries de personnifications.
Déjà la *Thébaïde* de Stace renouvelait la mythologie
romaine par de nombreuses figures morales comme
Fides, Concordia, Mens, Salus. Après tout, les divinités
païennes sont des sortes de personnifications. Or,
pour bien des raisons, la religion chrétienne n'a pas
remplacé, à cet égard, la mythologie. En un sens
l'allégorie médiévale tend à combler ce vide, dans
la figuration littéraire et artistique de la nature
et de la moralité, non sans faire appel, au besoin,
aux anciennes figures mythologiques.

La création allégorique trouve aussi un appui
solide dans les habitudes de l'exégèse. Apparue
dès les premiers commentaires faits sur l'*Iliade*,
l'interprétation allégorique s'est développée sous
l'influence de la pensée juive. Elle triomphe, comme
on sait, chez les théologiens, qui ont exercé dans
cette direction leur subtilité, aussi bien avec les
commentaires des œuvres et des événements profanes,
qu'avec leurs explications de la Bible. A leur école
on peut dire que tous les lettrés du XIIe siècle ont
appris à distinguer *parole coverte* et *parole overte*,
le sens caché et le sens littéral, la *senefiance* et la *semblance*. Une telle mentalité fait de l'allégorie autre
chose qu'un simple ornement de rhétorique : c'est
une façon de concevoir les œuvres des hommes, et
de voir le monde, œuvre de Dieu, livre à déchiffrer.
La rhétorique retrouve ainsi une certaine profondeur :
dans un monde où se superposent, sans communiquer,
les différents niveaux de la connaissance, la rhétorique,
qui enseigne à dire une chose pour désigner autre
chose, permet de définir les notions supérieures,
inaccessibles, en décrivant la réalité à son niveau

concret et inférieur. Ajoutons qu'en dehors de la
théologie, domaine noble et officiel, la même mentalité,
et la même rhétorique du double discours, ont pu
se manifester dans des écrits plus ésotériques. Une
certaine tradition hermétique, remontant d'abord
à Apulée, mais aussi à des sources plus anciennes,
par l'intermédiaire des Juifs et des Arabes, semble
avoir laissé des traces. Le *De nuptiis Philologiae et
Mercurii*, qui fait l'éloge d'Apulée, juxtapose curieu-
sement, dans son programme de connaissances,
les sciences occultes et les lumières des arts. On
voit que le lieu commun dont nous parlions, l'opposition entre la fable et la vérité, n'est pas seulement
une prétention d'auteur cherchant à se faire valoir.
C'est un certain type de lecture qui se propose à
nous, devant un texte qui est à la fois fable et vérité,
celle-ci étant à moitié voilée, à moitié dévoilée par
le texte : « Sub verborum tegmine vera latent »,
disait Jean de Salisbury. A plusieurs reprises, au
cours de son récit, Guillaume de Lorris nous annonce
une vérité qui s'y cache : « *Bien vos en ert la verité/
contee et la senefiance...* » (v. 980-81); « *...la verité
de la matere,/quant j'avré apost le mistere* » (v. 1598-99);
« *La verité, qui est coverte,/vos sera lores toute overte* »
(v. 2071-72). Mais l'auteur semble remettre à plus
tard une explication, que nous ne trouvons pas.
Voulait-il, comme l'auteur de la *Voie de Paradis*,
faire suivre le songe, proprement dit, de son explication? Cette intention pouvait s'accorder avec
sa thèse du songe prémonitoire : il suffisait de raconter
les événements qui ont réalisé le destin annoncé
par le rêve. Nous serions donc ramenés à nous demander
si le sens du roman est à chercher dans une sorte
d'exégèse autobiographique. Car le prologue nous
dit bien que l'œuvre a été entreprise pour une dame
si digne d'être aimée qu'elle mérite d'être appelée
Rose. Plus loin, annonçant un épisode essentiel,
il formule le vœu que son histoire plaise à la belle,
afin qu'elle le récompense un jour. Mais toutes ces

interventions d'auteur, dans le cours du récit, sont à lire avec précaution. D'un côté on a l'impression que l'auteur veut tenir le lecteur en haleine, en lui faisant espérer quelque surprenante révélation finale. D'un autre côté il cherche sans doute à flatter quelque protectrice sous le couvert d'une déclaration de service aux termes ambigus. L'intervention la plus importante se situe au moment où le dieu d'Amour va dicter ses commandements :

> Des or le fet bon escouter,
> s'il est qui le sache conter,
> car la fin dou songe est mout bele
> et la matire en est novele.
> Qui dou songe la fin ora,
> je vos di bien que il porra
> des jeus d'Amors assez aprendre,
> puis que il veille tant atendre
> que je die et que j'encomance
> dou songe la senefiance. (vv. 2061-2070)

Notons la définition du profit que l'on peut tirer de ce conte : c'est une école des jeux d'Amour. Ceci fait écho au prologue qui annonce que « ...l'art d'Amors est tote enclose » dans le roman. N'est-ce pas plutôt dans cette direction qu'il convient de chercher la *senefiance?* Quant à l'aventure proprement dite, elle serait à mettre au compte de cette *matire* (matière) dont l'auteur affirme à plusieurs reprises qu'elle est nouvelle.

L'opposition *senefiance/matire*, si elle s'accorde avec la mentalité allégorique en général telle que nous venons de la définir, est aussi apparue comme caractéristique d'une œuvre que Guillaume de Lorris devait connaître : celle de Chrétien de Troyes. Il est vrai que l'on discute encore pour savoir la valeur exacte qu'il faut accorder aux termes *sens* et *matière*, dont s'est servi l'auteur du *Chevalier de la Charrete.* Mais on peut essayer de définir respectivement l'esthétique du xiie siècle et celle du xiiie siècle à partir de ces notions. Pour Chrétien, comme pour les auteurs épiques, le travail littéraire est avant tout une composition, une construction faite à partir de récits empruntés. Mais la matière de Bretagne est soumise à un travail de *conjointure* assez subtil pour donner aux aventures un *sens* conforme à l'éthique chevaleresque, telle qu'on s'efforce de la définir autour de lui. Il n'y a pas là de mystère systématiquement voilé, mais l'ambiguïté d'un signe littéraire parfois chargé de symbolisme. Les continuateurs et les imitateurs de Chrétien ont voulu systématiser l'énigme littéraire, pour arriver à un sens allégorique : le *Parzifal* de Wolfram, comme la *Queste del Saint Graal*, témoignent de cette évolution dans l'art d'écrire qui prépare et dirige la lecture allégorique, au lieu de la laisser à l'initiative des exégètes plus ou moins bien inspirés. Ce qui implique un autre travail de *conjointure :* il ne s'agit plus seulement d'un découpage, d'une disposition des épisodes (avec un grand soin apporté à l'entrelacement), mais d'un ajustement par superposition d'un sens apparent du récit, et d'un sens caché. Cette technique allégorique n'était pas inconnue de Chrétien. L'analyse du sentiment prend parfois chez lui la forme d'un conflit de personnifications : il pratique la description symbolique (châteaux, vêtements); la scène du Graal reste à l'état d'énigme, que chercheront à résoudre les gloses les plus diverses. Mais Chrétien ne veut pas unifier les suggestions de la lecture. Au contraire, les poèmes vraiment allégoriques utilisent, pour ainsi dire, le *signifié* d'un récit comme *signifiant* d'une seconde lecture, pour laquelle on donne un certain nombre d'indications facilement repérées par le lecteur averti : noms de personnes et dénominations topographiques constituent autant de signes qui font communiquer les deux niveaux du texte.

On assiste bien, au début du XIIIe siècle, époque où écrit Guillaume de Lorris, à une prolifération d'œuvres en français qui cherchent à systématiser ainsi l'emploi des procédés allégoriques. Ce qui était jusqu'alors épars dans les œuvres poétiques et romanesques (métaphores suivies, personnifications et descriptions symboliques) se trouve rassemblé autour de certains thèmes amoureux, moraux ou satiriques pour former de grandes constructions où la logique de l'image se substitue à celle du discours idéologique. Guillaume le Clerc, qui est l'auteur d'un *Bestiaire* typologique, compose des contes allégoriques dans la tradition religieuse de langue latine. Guiot de Provins décrit l'*Armeüre du chevalier*, faisant correspondre à chaque pièce de l'armement une vertu. Raoul de Houdenc, dont nous avons cité le *Songe*, rédige son *Roman des Ailes* sur une autre métaphore, la prouesse ayant deux ailes, largesse et courtoisie, dont chaque plume comporte un enseignement. Le Reclus de Molliens rassemble dans ses deux œuvres, *Carité* et *Miserere*, un certain nombre de procédés et de motifs que le *Roman de la Rose* utilisera avec plus d'adresse et de rigueur : description d'un beau verger entouré de hautes murailles; comparaison de l'âme à une maison protégée par quatre gardiens; personnification de la Peur, de la Médisance et de l'Oisiveté. Dans le *Tournoiement de l'Antechrist* (1234-1235) Huon de Méry reprend la métaphore du combat jadis utilisée dans la *Psychomachia* de Prudence, pour dévoiler notamment la vérité de la fontaine périlleuse décrite par Chrétien de Troyes. Mais au combat des vices et des vertus se mêle le récit d'une aventure personnelle, Vénus blessant le narrateur d'une flèche qui, entrée par l'œil, atteint le cœur. Au total ces poèmes allégoriques, malgré une tendance esthétique commune, restent assez disparates. Nous y voyons s'élaborer une rhétorique dont les figures servent essentiellement à suggérer un sens allégorique derrière le sens littéral. Nous y voyons aussi se consolider une thématique morale et amoureuse autour de symboles communs au lyrisme européen et à la littérature chrétienne, comme le verger paradisiaque, le palais merveilleux, le château redoutable, la cour où sont rendus les jugements solennels. Par rapport à cette tradition, à cette évolution, le *Roman de la Rose* apparaît comme marquant une étape importante, et même, dans une certaine mesure, comme un aboutissement logique. Le mérite de Guillaume de Lorris est d'avoir donné plus de cohérence à la technique et à la thématique de l'allégorie. Ainsi, sans formuler d'hypothèse sur les sources ou les modèles de son œuvre, force est bien de constater qu'elle est l'expression la plus parfaite d'un goût, d'un art et d'une mentalité qui cherchaient encore leur définition au seuil du XIIIᵉ siècle.

Essayons de voir brièvement comment technique et thématique concourent à faire de notre roman une œuvre exemplaire. Le mot *roman* est lui-même équivoque. Guillaume de Lorris l'emprunte à ses devanciers, en particulier à Chrétien de Troyes qui désigne ainsi son livre du *Chevalier de la Charrete;* le mot s'applique d'abord à un langage, le français; Chrétien est celui qui « ...l'art d'amors an romans mist », qui traduisit l'*Ars amatoria* d'Ovide. Mais *roman* en est venu à désigner un certain type de récit écrit, en ce langage moderne qui s'oppose au latin. Guillaume de Lorris, qui entreprend aussi un *art d'Amors*, veut se distinguer sans doute de ceux qui (comme Alain de Lille) écrivent en latin, mais il cherche en même temps à se situer dans la tradition narrative française.

On ne peut pas dire, toutefois, que son récit suive les habitudes des conteurs, ou la technique de nos premiers romanciers. Son récit est en fait une alternance de discours et de descriptions, où la trame proprement narrative, la suite des actions et des événements, se réduit à peu de chose. Quant aux descriptions, elles ne constituent pas des tableaux homogènes, des images identiques aux représentations de l'art. Il est vrai que nous abordons là un problème encore mal résolu par notre linguistique et notre psychologie : comment les mots font-ils image? L'allégorie semble, par rapport à l'histoire du langage, régressive, elle garde la nostalgie d'une communication plus ancienne que l'écriture, et qui se faisait par signes et par images. Mais l'image littéraire est en somme virtuelle, seulement suggérée par le texte. Nous voyons bien que, dans le *Roman de la Rose*, le langage est fait pour évoquer des images, sans prétendre se faire le miroir de la réalité concrète. Incitation à l'imagination, le langage ne se substitue pas à la peinture, dont justement il attend le secours. Nous avons le sentiment, devant ces descriptions, qu'elles sont encore étroitement tributaires des séries du vocabulaire, dont l'énumération tient lieu de composition. Le romancier exploite un trésor de mots, dont l'accumulation donne une impression de réalité, mais sans perdre le caractère d'une nomen-clature, donc d'un inventaire abstrait. Étudions d'abord les procédés descriptifs.

Notre roman commence par situer une vision printanière dans la perspective trouble du songe : « J'avais l'impression que c'était le mois de mai, il y a bien cinq ans ou plus : on était donc en mai, c'est du moins ce que je croyais dans mon rêve, au temps amoureux... ». Suit l'évocation d'une nature qui reverdit, des oiseaux qui commencent à chanter. Alors le narrateur se met en mouvement. Il rêve qu'il descend vers une rivière, et sa promenade le conduit à un mur. Ici, changement de technique. On entreprend de « conter et dire », de décrire, de « deviser », d'analyser en détail dix « images », dix portraits peints sur ce mur et représentant des personnages repoussants. Après cette description, une tentative pour évoquer par le langage le chant des oiseaux, nombreux dans le jardin, et dont la musique donne envie de participer à leur joie. On reviendra un peu plus tard sur cette évocation, avec une énumération de toutes les espèces d'oiseaux : roitelets, tourterelles, chardonnerets, alouettes et mésanges. Plusieurs comparaisons hyperboliques nous suggéreront la beauté de leur chant (anges, sirènes). De même la musique du bal qui se déroule dans le parc est interprétée par une énumération de divers instrumentistes et des types de chansons, l'enthousiasme étant suggéré par des tours de phrase du genre : « Alors, vous auriez vu... ». Enfin l'exploration du verger nous vaut d'autres séries énumératives : bêtes, fleurs, arbres, sur la robe d'Amour, ou directement observés, prolifèrent, le langage suggérant à la fois beauté, richesse et fécondité : la grammaire et la rhétorique sont ainsi en accord avec un certain sens de l'œuvre. Mais il ne faut pas oublier que nous ne « voyons » que des espèces, et non des êtres singuliers. C'est la multiplication des espèces dont l'énumération hyperbolique semble ici vouloir imposer l'idée. Nous n'avons pas affaire à un « paysage ». Au reste cette prolifération, reprise par l'énumération des fleurs poussant au bord de la rivière, que découvre le narrateur, est comme « canalisée » par le courant limpide où tout le décor se reflète.

À ce moment le narrateur, dont les déplacements n'ont servi, jusqu'à présent, que de transition aux diverses descriptions et aux portraits des personnages rencontrés dans le verger, s'approche de la *fontaine* (la source) de Narcisse et entreprend de nous en dire la merveille. En fait de description, nous trouvons là un montage symbolique : eau limpide, courant sur un gravier plus clair qu'argent pur, en deux ruisselets avec, au fond, deux pierres de cristal. La sensation est d'emblée débordée par la signification qui s'attache à ces emblèmes, comme lorsque le narrateur a décrit Amour, avec ses deux arcs et ses flèches. Le récit mythologique consacré à Narcisse est aussi intervenu, au cours de la description, accentuant la profondeur significative du spectacle. La technique de ce *Roman* est, à cet égard, très différente de celle que Jean Renart, auteur d'un autre *Roman de la Rose* (ou plutôt *de Guillaume de Dole*) utilise lorsqu'il décrit, d'un façon très pittoresque et presque documentaire, une sorte de *garden-party :* son langage cherche à traduire aussi exactement que possible la sensation visuelle. La vision de Guillaume de Lorris est, au contraire, abstraite, figurative et intellectuelle.

La suite de l'œuvre tend vers la narration dramatique : on enregistre les faits et gestes du narrateur avec plus de précision, et surtout on analyse ses sentiments lorsque, ayant aperçu un rosier se reflétant dans l'eau, il se dirige vers lui. Du bouton de rose qui l'a pratiquement séduit on nous donne une image stylisée : une tige droite, avec quatre paires de feuilles bien alignées, une odeur très douce. Alors survient Amour comme un chasseur qui rejoint sa proie, et nous avons une scène d'action, précise comme le sont traditionnellement, dans la littérature épique et romanesque, les descriptions de combats. Mais à aucun moment le lecteur ne peut croire qu'il s'agit d'une action normale. Cinq flèches sont entrées par l'œil et ont atteint le cœur du narrateur. La dernière, la plus merveilleuse, était couverte d'un *oignement* calmant la douleur provoquée par les autres. Variation sur la métaphore traditionnelle de la blessure d'amour, tout l'épisode suppose, pour être bien lu, une imagination attentive à saisir des emblèmes. Le nom donné aux flèches renseigne sur leur fonction métaphorique (Beauté, Simplesse Courtoisie, Compagnie, Beau Semblant), tandis que le mécanisme physique de la blessure donne le schéma d'une causalité (l'amour est provoqué par la vue des qualités qui ont donné leur nom aux différentes flèches). Le déroulement du drame suit donc le développement de la métaphore par accumulation de détails et de particularités concrètes. Mais une lecture naïve, s'en tenant à la lettre, est rendue impossible : les sensations ne sont présentées que comme l'apparence de sentiments plus profonds.

La valeur du procédé dépendra de plusieurs conditions : richesse implicite de la métaphore qui conduit le récit; justesse de l'analogie entre les faits et gestes, d'une part, et les émotions, les sentiments, d'autre part; qualité propre de l'aventure unifiant les diverses suggestions et allusions. En effet notre texte réussit à nous séduire par un certain merveilleux poétique, tandis que la métaphore se situe dans la vieille tradition de la communication par objets symboliques (arcs et flèches).

L'allégorie reflète donc bien l'histoire du langage humain, qui a utilisé signes, signaux et symboles avant l'invention de l'écriture elle-même. Nous en avons encore un exemple dans le passage suivant, où nous voyons la victime d'Amour lui rendre hommage selon le rituel féodal : « Alors je devins son homme, mains jointes, et je fus très heureux lorsque sa bouche baisa la mienne ». Le baiser, qui scelle l'amitié du vassal et du suzerain, correspond à ce genre de communication par geste dont certains rites gardent des traces. Mais on peut y chercher aussi une allusion plus délicate au thème amoureux du roman. Le signe rituel, ici le baiser, n'est pas choisi au hasard, il tient compte de l'unité poétique de l'œuvre. Un autre symbole vient renforcer la signification de la cérémonie : Amour ferme à clé le cœur de l'amoureux. L'auteur ne fait pas un gros effort pour donner à ce dernier geste une apparence de réalité. Il nous décrit la clé « de fin or esmeré », mais laisse à l'atmosphère merveilleuse le soin de résorber l'invraisemblance de l'opération concrète.

Après cet épisode où la description atteint une certaine densité symbolique, c'est le discours direct qui s'installe dans le roman. Nous avons là le procédé le plus élémentaire de la littérature allégorique : l'auteur place ses idées dans la bouche d'une personnification. De fait les conseils, les commandements, les avertissements d'Amour pourraient fort bien être mis directement au compte de l'auteur : le texte serait alors un simple traité didactique. Justement,

Guillaume de Lorris prétend ici que son roman
s'améliore, et il annonce qu'il donnera la « senefiance »
du songe. On a l'impression qu'il commence aussitôt
à dévoiler son « art d'amour », impression confirmée
par la référence aux relations de maître à disciple
(v. 2051-2052). Toutefois l'attribution des paroles
à Amour permet de justifier deux aspects de ce
discours : la définition des devoirs est ainsi revêtue
d'une certaine solennité religieuse, et même s'il
s'agit d'une divinité ludique, purement littéraire,
le décalogue courtois y bénéficie du prestige que
garde toujours la force magique de la nature sous
son masque païen ; d'autre part les malheurs annoncés
à l'amoureux sur un ton prophétique, et l'espérance
dont on lui révèle le secours, semblent faire partie
de son inéluctable destin. Au total, l'intervention
du dieu Amour permet le rapprochement, et propose
la synthèse, entre les attitudes de la foi et le comportement amoureux. Ajoutons qu'à l'intérieur même
de ce discours il est fait allusion à des personnifications
courtoises, comme Doux Regard, cependant que
les commandements eux-mêmes reprennent des notions
que nous avons rencontrées déjà, personnifiées,
comme vilainie et courtoisie. L'allégorie n'est pas
seulement une mise en scène, un style : elle se retrouve
à tous les niveaux du texte ; elle caractérise le contenant
et le contenu.

Livré à lui-même, l'amoureux redevient le héros
du récit qui, désormais, se fait plus dramatique.
Les protagonistes de ce drame sont des personnifications comme Raison, Bel Acueil et Danger ; un
personnage humain, Ami ; le bouton de rose, enjeu
de l'action ; et d'autres personnifications qui vont
seconder ou contrarier l'amoureux. Le discours direct
tient encore une place importante dans ce drame.
Il s'agit surtout de longs monologues où se définissent
des thèses sur l'amour (discours de Raison et d'Ami).
Mais on trouve aussi un dialogue plus animé, associé
étroitement à l'action (dialogues de l'amoureux

avec Bel Acueil et avec Danger). Les décisions sont prises après des plaidoyers *pour* ou *contre*. C'est plutôt l'éloquence que la force physique qui détermine l'évolution de la situation. Toutefois il faut préciser que l'amoureux cède surtout à la menace plutôt qu'à la persuasion, notamment devant Danger, dont on nous fait d'ailleurs une description terrible, tandis que Bel Acueil, tout en écoutant les paroles séductrices de Vénus, est enflammé par le brandon que la déesse tient à la main.

C'est à la fin du roman, avec les deux derniers épisodes, que le récit trouve vraiment son unité, son harmonie, dans la synthèse de tous les procédés allégoriques. C'est alors que l'action rapportée devient la métaphore directrice, celle qui coordonne les différents mécanismes du discours et du récit, et qui nous propose le schéma logique, support de la signification littérale et symbolique. Bel Acueil ayant accordé un baiser à l'amoureux, le narrateur évoque rapidement la joie qu'il éprouve. Un dialogue animé, provoqué par Male Bouche et par Jalousie, amène Danger à se réveiller et à chasser l'amoureux des parages de la rose. Puis Jalousie fait construire un château qui servira de prison à Bel Acueil. La description de ce château est un bel exemple d'image littéraire à valeur allégorique. On nous explique en détail le plan, la nature des fondations, le matériau, la technique d'assemblage des pierres de taille. L'architecture semble se déployer sous les yeux du lecteur, d'abord comme un pur document, dans une centaine de vers : nous avons affaire à un château fort, avec des rosiers dans son enclos. C'est la mention des personnages assignés à la garde des quatre portes qui transforme peu à peu ce reportage en description symbolique : les noms des gardiens, Danger, Honte, Peur et Male Bouche nous rappellent le jeu d'interprétation auquel nous participons, cependant que se poursuit l'énumération de détails simplement pittoresques, hommes d'armes, trompettes, sonneries.

Finalement nous voyons Bel Acueil enfermé dans
le donjon, avec une vieille dame pour le garder.
   Le sens de cette dernière image ne semble pas
trop difficile à découvrir. Au reste le narrateur prend
alors la parole pour se lamenter sur sa séparation
d'avec Bel Acueil. Il se répand en imprécations
contre Jalousie, responsable de cette incarcération.
Et le récit se termine sur l'expression de sa douleur
et de son désespoir. Mais si le sens paraît clair, la
composition de l'image ne laisse pas de trahir une
grande complexité si l'on veut l'analyser logiquement.
Quel rapport y a-t-il entre Bel Acueil, enfermé dans
la tour, et la rose « entre les murs enclose »? Que
représentent respectivement cette personnification
et ce symbole? Comment se rattachent-ils à l'essence
féminine dont ils semblent être les émanations?
La logique du récit ne suffit pas à mettre en ordre
toutes les données concrètes de l'allégorie. En effet,
l'image que nous voyons se composer n'est pas d'une
cohérence, d'une consistance parfaites. L'espace lui-
même, où se projettent ces figures, n'obéit pas aux
lois de l'espace visuel. Il est vrai que les arts iconographiques ne s'y soumettent pas davantage, à
l'époque. Le même cadre, le même décor comportent
plusieurs lieux, vus à plusieurs moments. La même
personne peut représenter des réalités diverses, la
même réalité être figurée par différentes créatures.
La logique de cet univers, où la partie peut contenir
le tout, où le principe d'identité n'est pas respecté,
n'est pas celle de la réalité, dont pourtant on évoque
les images. C'est celle d'un système de métaphores,
dont il faut débrouiller le réseau, subtilement ou
négligemment enchevêtré.
   L'allégorie du *Roman de la Rose* développe et
dramatise une métaphore : cueillir la rose. Ce geste
sert de motif, à toutes les époques, à la chanson
anonyme qui joue avec plus ou moins de subtilité
sur les secrets désirs de l'homme amoureux. Mais
l'invitation innocente : « Allons au jardin cueillir

la fleur », qui sert de prélude à des déclarations
amoureuses dans le lyrisme traditionnel, devient,
dans l'œuvre allégorique, le thème même du récit.
Car l'allégorie remonte au symbole, dont le motif
lyrique est dérivé, pour le développer. Elle n'en
dévoile pas brutalement le sens : ce sera le rôle de
l'exégèse, celle de l'auteur s'il en ajoute une, celle
du lecteur dans le cas contraire. Ici le geste symbolique
(cueillir) est associé à une image, elle-même riche
de suggestions symboliques. La fleur représente,
dans tous les langages, des qualités que l'on peut
attribuer à la féminité : beauté, pureté, promesse
de fécondité. Parmi les fleurs, la rose a une distinction
particulière. Le dessin régulier de ses pétales, leur
implantation en spirale, son contour circulaire,
les combinaisons de nombres qu'elle renferme, la
délicatesse de sa texture et de sa couleur ont de
tous temps fasciné les hommes. Elle est, si l'on veut,
le symbole floral porté à sa perfection. Dans le langage
des fleurs, elle ajoute aux suggestions de féminité
et de beauté une nuance de grâce et de raffinement.

Le lecteur du *Roman de la Rose* trouvera dans
ce symbole directeur le principe d'une analyse cherchant à la fois à saisir la qualité poétique et la signification allégorique. Il est évident que les descriptions
secondaires et les discours doivent être compris
par rapport à ce bouton de rose, seul immobile,
déconcertant objet de toute l'activité qui se déploie
autour de lui. C'est le symbole de la rose qui donne
à cette invention métonymique, à ces énumérations,
à ces enchaînements d'apparence mécanique et
purement verbale, une dimension vraiment métaphorique. Les œuvres antérieures ont déjà exploré
toutes les ressources de la rhétorique. Mais les décors,
les personnages, les morceaux de drame ou d'épopée
restent à l'état d'ébauche, sont dénoncés comme
artifices, parce qu'ils ne donnent pas naissance à
ce qui fait l'art poétique, la métaphore. On définit
parfois l'allégorie comme une métaphore prolongée.

Ce qui distingue des autres l'allégorie poétiquement réussie, c'est la nature de cette prolongation : il faut qu'à chaque instant elle renouvelle la création métaphorique, au lieu de se présenter comme un développement automatique par associations d'idées. Autrement dit, il faut que chaque détail de l'image serve à la signification de l'idée. Certes, il est plus difficile de filer ainsi la métaphore à l'échelle d'une œuvre de 4028 vers, qu'à l'échelle de la ballade ou du rondeau. On peut avoir, çà et là, le sentiment d'un raccord, ou d'une digression. Mais c'est déjà une habileté, de la part de l'auteur, que d'avoir mis au centre de son allégorie un symbole aussi riche et aussi mystérieux que celui de la rose.

D'autres procédés, moins subtils, contribuent à la construction allégorique. C'est d'abord la personnification. Son rôle est primordial, car elle constitue généralement le signe qui permet de déchiffrer le code secret de la métaphore. Celle-ci est, pour ainsi dire, le verbe de la phrase allégorique. La personnification en est alors le sujet. La notion abstraite, qui lui sert de nom propre, appartient au niveau caché de la signification. C'est pourquoi elle est si révélatrice. Ainsi quand le troubadour Marcabru écrit un poème difficile, nous essayons de le comprendre à partir de *Proeza*, *Valor*, *Malvestat*, *Joi*, *Amor*, qui, sur un plan, agissent comme des personnes humaines mais sur un autre plan sont les notions clés d'un système moral. Si nous suivons le narrateur du *Roman de la Rose* dans son aventure mystérieuse, nous rencontrons ainsi toute une société de personnifications dont les noms propres sont autant de repères idéologiques. Il y a longtemps que l'allégorie en latin décrit ainsi des sociétés de « vertus » et de « vices » qu'elle fait s'affronter en batailles rangées. Un tel partage entre bonnes et mauvaises créatures allégoriques se retrouve dans notre récit. Mais pas de bataille épique. D'abord l'équivalent des « vices » apparaît sous forme d'images peintes sur le mur du verger. L'auteur en décrit le portrait tel qu'il l'imagine fait par un autre artiste. Ces personnages n'ont donc pas dans le récit une présence active, une réalité tangible. Images d'images, ils sont repoussés à la périphérie de l'existence narrative comme de simples références un instant évoquées, aussitôt refusées et rejetées. Du point de vue de l'écriture, cette présentation apparaît comme un apprentissage : les premières personnifications rencontrées dans le livre sont décrites d'après une œuvre d'art, réelle ou supposée. Ainsi l'art littéraire recherche un appui dans l'art iconographique, plus proche de cette expression primitive, de cette communication concrète dont le langage allégorique cherche à retrouver la magie. Les enlumineurs de manuscrits auront là une source d'inspiration inépuisable, « réalisant » en quelque sorte les portraits que l'auteur propose à notre imagination.

A l'intérieur du verger nous voyons évoluer des personnages qui représentent les valeurs positives : ils vont ébaucher une petite mythologie singulière. On sent tout de suite que le narrateur prend plaisir à évoquer leurs silhouettes séduisantes, rehaussant leur « semblance » de détails pittoresques. Mais ces portraits, quelle que soit la fantaisie de l'écrivain, obéissent à une loi assez rigoureuse : il faut que l'apparence physique et vestimentaire du personnage manifeste d'une manière concrète la qualité abstraite (ou le défaut) qu'implique la définition du concept personnifié. Où nous retrouvons la correspondance entre ce qui est caché et ce qui est vu, entre l'extérieur et l'intérieur, bref entre deux ordres de réalité et de langage. Le résultat peut être décevant, parce que tautologique : la description du personnage renvoie à sa définition. Elle est manifestation de son essence. Mais il est intéressant d'étudier le réseau d'emblèmes où s'enferme cette description. Ils appartiennent à des conventions, à des codes qui permettent de situer un texte par rapport à la culture et à la société. Que l'Envie ait le regard louche, c'est un signe expressif très largement répandu. Qu'Avarice soit représentée avec une bourse à la main, c'est un emblème également attendu. Elle est aussi maigre, décolorée, mal habillée : c'est l'effet de la cause, le résultat de l'avarice; ainsi Vieillesse est ...vieille! Mais que l'apparition d'Oiseuse, venue ouvrir le verger au narrateur, soit l'occasion pour l'auteur d'une description enthousiaste de ses charmes, voilà qui nous aide à comprendre ses intentions. Certes le portrait d'Oiseuse multiplie les signes révélateurs de l'oisiveté : « Il apparaît bien à ses atours qu'elle n'a rien à faire », nous précise l'auteur. Mais si elle tient à la main un miroir, signe de coquetterie, comme la Luxure de la tapisserie d'Angers, rien ne trahit ici qu'elle est aussi la mère de tous les vices; au contraire sa beauté gaie, sa « mignotise » justifient celui qui la suit avec empressement. Tous les personnages du verger vont être ainsi parés de séductions particulières : la joie pour Leesce, le jeu pour Deduit, le luxe pour Richesse, sont l'expression, non pas seulement de la nature des personnages, de leur essence, mais d'une beauté qui, avec des nuances particulières pour chacun, donne à toute cette société son atmosphère caractéristique. Autrement dit, la description des personnages ne nous énumère pas seulement les emblèmes qui permettent de les reconnaître, elle tend à une certaine qualité esthétique qui traduit, avec le talent de l'auteur, son jugement profond. C'est là qu'apparaît la différence avec l'allégorie d'une œuvre traditionnelle. Par l'opposition de la beauté et de la laideur Guillaume de Lorris bouleverse la vieille opposition des vertus et des vices. Ainsi Vieillesse est rangée parmi les vices entre Envie et Papelardie, parce qu'elle est laide. Nous aurons à revenir sur la signification de ce système de personnifications. Pour le moment nous constatons que le procédé permet à l'écrivain de suggérer poétiquement sa pensée. Il peut, pour

cela, faire appel à l'ancien arsenal des emblèmes
poétiques : ainsi, près du Dieu d'Amour un jeune
valet porte deux arcs et des flèches. Le motif conven-
tionnel est d'ailleurs réinterprété dans un style plus
minutieusement symbolique : aux deux arcs corres-
pondent deux systèmes de flèches, qui reçoivent
elles-mêmes un nom en rapport avec leur rôle dans
le drame de l'amoureux. Mais le poète a recours
aussi à des symboles plus libres. Ainsi la robe d'Amour
est faite de toutes les fleurs du monde, et autour
de sa tête volent des oiseaux : « Il semblait que
ce fût un ange venu tout droit du ciel ». Il y a donc
une grande variété dans le détail de ces descriptions.
L'auteur s'est bien tiré de cet exercice de style,
même dans le portrait de Papelardie, l'hypocrisie,
difficile à représenter puisqu'elle est le contraire
de ce qu'elle paraît : l'auteur lui a donné l'aspect
d'une dévote ! Mais, ce dernier exemple le prouve,
derrière l'exercice on devine de subtiles intentions.
Moins subtils sont les fragments de discours moral
qui se mêlent çà et là au portrait : ainsi l'image
de Convoitise est peu décrite, mais fait l'objet d'une
diatribe : « C'est celle qui pousse les gens à prendre
et à ne rien donner... ». La triste description de Vieillesse comporte une digression éloquente sur le temps
« ...qui s'en va nuit et jour ». Ces changements de
style, de perspective, d'attitude de la part de l'auteur
donnent une impression de fougue et de spontanéité
plutôt que de maladresse et d'incohérence.

La cohérence, il faut bien dire, ne va pas jusqu'à
doter toutes les personnifications du même statut
dans l'ordre de l'allégorie. Nous avons déjà vu que
certaines, condamnées, n'apparaissent qu'à titre d'images sur les murs du verger : Haine, Félonie, Vilainie,
Convoitise, Avarice, Envie, Tristesce, Vieillesse,
Papelardie, Povreté. A l'intérieur nous rencontrons
les qualités pour ainsi dire sociales, les « vertus »
courtoises qui semblent caractériser le milieu humain
favorable à la naissance de l'amour : Oiseuse, Deduit,

Leesce, Courtoisie, Beauté, Richesse, Largesse, Franchise, Jeunesse, à quoi s'ajoute Amour, plus complexe, mais qui sur ce plan s'oppose à Haine. Certaines des notions ainsi personnifiées donnent aussi leur nom aux flèches du dieu d'Amour, Vilainie, Franchise et Beauté; l'auteur lui-même nous le fait remarquer. Indigence de vocabulaire? ou dualité des rôles? On comprend que Beauté, tout en caractérisant le milieu social, joue un rôle plus précis dans la séduction symbolisée par les flèches : elle désigne alors la beauté particulière de l'aimée. Précisément, une autre série de personnifications semble se rattacher de façon plus directe à la personne, jamais nommée, jamais présente, mais dont la rose symbolise peut être la féminité qui, justement, se dérobe à l'amoureux. Celui-ci aperçoit d'abord Doux Regard, près du dieu d'Amour; c'est lui qui porte les flèches. Dans son discours Amour le mettra sur le même plan que Doux Penser et Doux Parler : à eux trois ils constituent pour ainsi dire la trinité d'Espérance, autre personnage dont le secours est annoncé à l'amoureux. A vrai dire nous ne verrons guère agir ces personnages, nous n'en avons même pas un portrait, ils n'ont pas de présence sensible dans le roman, sauf un instant Doux Regard. Autrement dit, les verbes dont ces noms sont les sujets ne sont qu'à peine métaphoriques : Penser pense, Parler parle et Regard regarde !

Les personnifications les plus intéressantes sont celles qui vont intervenir dans le petit drame qui se joue après le discours d'Amour, dans la dernière partie du roman : Bel Acueil, Danger, Male Bouche, Honte, Jalousie, Peur. Les trois dernières semblent appartenir à la même famille : ce sont des sentiments qui s'opposeront au succès de l'amoureux, lequel sera, en revanche, aidé par les sentiments favorables de Franchise (qui réapparaît donc dans un autre rôle) et de Pitié. Les trois autres sont plus difficiles à caractériser, peut-être parce qu'elles appartiennent déjà au monde poétique, comme figurants de la tradition courtoise, types définis moins logiquement qu'historiquement. Ainsi derrière Male Bouche on reconnaît le *losengier* des trouvères et des troubadours ; mais on reconnaît aussi Fama, la renommée, qui dans l'*Énéide* va raconter à tout le monde les amours de Didon et d'Énée. Danger est un personnage assez étrange, non seulement en raison de la sémantique du mot, qui déconcerte évidemment le lecteur moderne (il désigne *grosso modo* le refus de la dame aimée), mais aussi parce que la tradition lyrique en a fait un symbole clé du jeu courtois. Quant à Bel Acueil, Guillaume de Lorris lui donne un rôle de premier plan, au point que, s'interposant entre l'amoureux et la rose convoitée, on a l'impression qu'à la fin du roman il représente la dame. Pourtant sa place véritable est en antithèse de Danger, l'un et l'autre figurant l'attitude favorable ou défavorable de l'aimée. La diversité d'origine de ces personnages s'efface dans la logique de l'aventure. La comédie humaine en miniature, qui les met aux prises à la fin du roman, interprète le drame intérieur qui se déroule dans l'âme de celle dont dépend le bonheur du narrateur. L'aventure qui débutait à l'extérieur du verger se termine au plus près de l'aimée, puisque les derniers protagonistes représentent ses sentiments. Toutefois dans ce tourbillon, cette constellation d'entités animées, de notions abstraites agissantes, il n'est pas possible de bien marquer une limite entre l'extérieur et l'intérieur, entre la société et le moi, ni même, fait plus grave, entre ce qui appartient à l'amant et ce qui revient à l'aimée. Le drame se déroule, en principe, entre un sujet, le narrateur, et un objet, le bouton de rose convoité. Il met aux prises des intermédiaires, les personnifications. Mais derrière celles que nous avons énumérées, deux puissances s'opposent : celle de l'amour et celle de la raison. Vieux cliché de la littérature morale, que l'allégorie poétique va remanier à sa manière. L'auteur fait d'abord allusion à ce conflit en établissant la généalogie de Honte. Celle-ci est « fille de Raison la sage » (la parenté figurant la causalité psychologique). Elle porte secours à Chasteté que chasse Vénus. Un peu plus loin Raison se présente en personne à l'amoureux. Elle n'est ni vieille ni jeune, ni trop grande ni trop petite, ni trop maigre ni trop grasse : par quoi nous comprenons qu'elle se situe dans le juste milieu en toute chose : idéal de « mesure ». D'autres traits sont emblématiques : elle a une couronne sur la tête, des yeux brillants comme des étoiles. Mais elle répond à une définition chrétienne : Nature n'aurait pas été capable de la former, c'est Dieu qui l'a créée au Paradis, à son image. Nous ne verrons pas agir cette personnification, mais on nous rapporte le discours qu'elle tient à l'amoureux pour le mettre en garde contre la folie d'aimer. Somme toute il est normal que Raison se manifeste surtout par le discours, la ratiocination, la logique persuasive : l'artifice trouve ainsi sa justification au sein de l'allégorie d'ensemble.

Raison oppose son discours à celui d'Amour, et son action à celle de Vénus. Le premier est responsable du désir masculin; nous reconnaissons en lui Érôs, ou Cupidon, dieu du désir. Vénus agit sur Bel Acueil, enflammant de son brandon la féminité qui accorde alors un baiser à l'amoureux. Guillaume de Lorris n'a pas insisté beaucoup sur ce personnage mythologique, soit qu'il s'impose quelque retenue à cet égard, soit plutôt qu'il n'ait pas eu le temps de mener à terme son roman. C'est certainement un des motifs qui ont incité Jean de Meun à entreprendre sa continuation.

Si l'on récapitule cette liste de personnifications, nous voyons d'abord deux divinités mythologiques, Amour et Vénus, que la littérature médiévale n'a jamais cessé d'évoquer en dehors de toute référence précise à la mythologie latine ou grecque; le *Roman de la Rose* contribuera à les situer dans un contexte plus riche, plus conforme à leur vocation. Contre ces deux divinités intervient une personnification familière aux lecteurs de poèmes moraux ou de romans psychologiques, Raison : on la trouve dans le *Roman de la Charrete*, s'opposant à Amour quand Lancelot veut monter dans cette charrette infamante. Des sentiments personnifiés miment le drame qui semble se dérouler dans l'âme de l'aimée : Bel Acueil, Danger, Honte, Peur, Jalousie. A eux se mêle Male Bouche, qui doit représenter une intervention extérieure (c'est peut-être aussi le cas de Jalousie, dont on ne distingue pas bien l'origine). Doux Penser, Doux Parler, Doux Regard se définissent surtout par rapport aux états d'âme de l'amoureux, même si le dernier émane de l'aimée : il est cause, d'abord, de la naissance du désir amoureux, puis de l'espérance consolatrice. Avec Bel Acueil et Danger, ces trois personnages sont les créations les plus originales de Guillaume. Une série de qualités personnifiées définissent les circonstances, le milieu social où s'effectue la rencontre amoureuse : Oiseuse, Deduit, Leesce, Courtoisie, Beauté, Richesse, Largesse, Franchise et Jeunesse. Les personnages peints sur le mur du verger désignent les défauts et les conditions contraires à l'amour : Haine, Felonie, Vilainie, Convoitise, Avarice, Envie, Tristesce, Vieillesse, Papelardie, Povreté. Tout ce système de personnifications va nous guider dans l'interprétation du drame métaphorique qui nous est raconté. Elles appartiennent à deux séries différentes, à deux plans de signification. D'une part elles peuvent donner au drame le sens d'une aventure amoureuse vécue entre le narrateur et une personne qu'il rencontre et dont il s'éprend aussitôt. D'autre part elles peuvent faire de ce drame un exemple, un idéal, un art d'aimer.

Deux personnages restent à situer par rapport à l'allégorie. C'est d'abord Ami, dont l'intervention est préparée, dans les conseils donnés par le Dieu d'Amour, lorsqu'il évoque la douceur de Doux Parler :

« Je te conseille de chercher un compagnon sage
et discret, à qui tu puisses raconter tes sentiments
et dévoiler les secrets de ton cœur ». Après le sermon
de Raison, le narrateur va en effet trouver un compagnon : « *Amis a non, onques n'oi meillor compaignon* »
(v. 3093-4). Ce personnage le réconforte et le conseille
utilement. Nous n'avons aucun renseignement sur
lui. Ce n'est pas exactement une personnification,
et sans doute ne l'a-t-on pas appelé Amitié, parce
que la notion que recouvre ce mot n'est pas ici pleine-
ment en cause. Il est néanmoins assez étrange que
la seule personne humaine présente dans ce songe
à côté du narrateur reste très abstraite, sans aucun
trait précis. Autre personnage, qui n'appartient
pas au système habituel des personnifications :
Narcisse, dont l'histoire est très importante. Son
souvenir est rappelé au moment où le narrateur
s'approche de la fontaine : il va y découvrir l'objet
de son amour. Mais il aperçoit les lettres gravées
sur la pierre et disant : « Ici est mort Narcisse ».
Ce récit mythologique de 80 vers (1437-1516) intervient
à un moment décisif. Avec lui s'approfondit la
signification de l'allégorie, car si une personnification
psychologique, comme Oiseuse ou Bel Acueil, apporte
un élément de clarté dans l'ensemble des signifiants
du récit, le personnage mythique se charge de tout
le mystère, de toutes les obsessions qui se sont accumu-
lés au cours de l'histoire autour de ce nom. Le mythe
se présente, dans le système des significations métaphoriques et symboliques, comme une ouverture
sur d'autres systèmes. Le destin du narrateur y
rencontre le sort d'autres hommes. L'idéologie
d'un art d'amour y renoue avec l'histoire de l'amour.
Ainsi le récit métaphorique, parti du riche symbole
de la rose et conduit selon le cheminement des personnifications, nous laisse un instant méditer sur un
des plus profonds mystères de l'amour, le mirage
du désir qui conduit à la mort.

Ce texte est donc composé d'éléments hétérogènes,

de séries expressives et significatives construites
selon des procédés divers. Ces séries se recoupent
et peuvent faire double emploi. Il y a une certaine
redondance de l'expression, la même réalité psychologique étant désignée par différentes figures : c'est
le cas de Beauté et de Courtoisie, qui font partie
d'un petit groupe social, mais qui font aussi partie
des cinq flèches envoyées par Amour. L'allégorie
semble avoir morcelé, fragmenté la réalité du couple
amant/aimée. Dans le tourbillon d'objets et de créatures qui se substitue au couple, la personne du narrateur, sans coïncider exactement avec le *moi* amoureux
(puisque d'autres personnages en figureront certains
sentiments, et d'abord l'amour lui-même), reste
le repère mobile mais constant, le centre de cette
constellation d'images : c'est à lui qu'arrivent toutes
les aventures, ou du moins elles sont racontées dans
sa perspective. La grande force de cette allégorie
tient à cette perspective : elle ramène à l'unité subjective la disparité des scènes et des épisodes. Où apparaît
l'utilité du *songe*, dont la fiction permet de tout
rassembler en une vision et une histoire personnelles.

La fiction du songe justifie aussi les invraisemblances,
voire les négligences, dans l'enchaînement des faits.
Elle substitue à la logique du monde quotidien
l'ordre magique du rêve. Elle livre le lecteur à l'empire
des images qui viennent l'assaillir, comme le rêveur.
Elle nous propose le récit comme une énigme à
résoudre. Guillaume de Lorris nous en avertit :

> que songes est senefiance
> des biens as genz et des anuiz,
> que li plusor songent de nuiz
> maintes choses covertement
> que l'en voit puis apertement. (v. 16-20)

Il nous invite à déchiffrer la signification du poème
comme on déchiffre un rêve. Si l'on se reporte au
Commentaire de Macrobe, cité par lui, on voit en
effet que pour le grammairien latin un songe *(som-*

nium) est un récit qui recouvre de figures et voile d'ambiguïté la signification de la chose exposée. Mais Guillaume ne s'en tient pas à cette définition qui reflète la rhétorique de l'auteur. Il se réfère à une autre catégorie de songe, citée par Macrobe, la vision *(visio)*, qui se caractérise par l'anticipation d'un événement. Ce qui nous amène à chercher dans le *Roman* une histoire d'amour, celle qui est figurée, annoncée, si l'on veut, par l'histoire merveilleuse survenue en rêve au narrateur. Mais cette histoire d'amour est-elle toute la *senefiance* du rêve, cette *matire* « et bonne et neuve » ?

Raconter une histoire d'amour en la déguisant par l'allégorie n'est pas d'un intérêt suffisant pour expliquer l'entreprise de Guillaume de Lorris. Certes il a pu élargir à l'échelle d'un roman l'hermétisme pratiqué dans leurs chansons par les poètes du *trobar clus*. Même pour ceux-ci il n'est pas exclu que l'hermétisme réponde à un autre souci que la discrétion à l'égard de l'aimée et de leurs relations intimes avec elle. Pour Guillaume de Lorris il est en tout cas difficile de croire qu'il ait entrepris un roman simplement pour raconter à une dame son amour pour elle, en cherchant à ne pas la trahir aux yeux d'autres lecteurs. L'allégorie doit avoir un autre but, et l'histoire d'amour que nous y devinons ne doit pas épuiser le sens caché dans le roman.

Mais c'est ici qu'il faut être prudent, et ne pas partir à l'aventure dans des exégèses extravagantes. Il est tentant, sans doute, d'exercer sur ce livre le genre de critique que Bernard Silvestris appliquait à l'*Énéide*, où il voyait une histoire de l'âme (Énée) qui, après avoir fui les passions de la jeunesse (Troie), se trouve confrontée avec les devoirs et les tentations des autres âges de l'homme. Si les excès de l'allégorisme trouvent toujours un prétexte pour se manifester chez les commentateurs, *a fortiori* les œuvres délibérément allégoriques sont la proie de telles interprétations. Une saine méthode consisterait à faire l'inventaire des indices, des signaux, des signes pouvant appartenir au *code* dont on entend se servir pour déchiffrer l'œuvre. Ce qui complique les choses, c'est que les mêmes symboles se retrouvent dans des codes différents. Prenons celui de l'alchimie, à quoi l'on a pensé pour expliquer le *Roman de la Rose* (Fulcanelli considère que le caractère alchimique du livre ne fait aucun doute). Trouvons-nous dans cette partie du roman, composée par Guillaume de Lorris, un ensemble d'images composant un rébus alchimique? Y voyons-nous d'autres séries de symboles caractéristiques d'une science occulte? Les nombres peut-être? Il y a dix portraits sur le mur, dix qualités ou vertus personnifiées. L'auteur préfère-t-il le nombre 10 au nombre attendu, 7? Mais il y avait quinze vertus dans l'*Anticlaudianus :* on ne sait trop quelle conclusion en tirer, s'il faut en tirer une. En tout cas une étude sérieuse reste encore à faire dans cette direction; elle risque d'être gênée par la fantaisie qui règne souvent dans les écrits consacrés aux sciences dites occultes.

A vrai dire l'amour comporte assez de mystère, pour être, fort probablement, la raison dernière de l'œuvre, ce à quoi il convient de rattacher tous les symboles. Il n'est pas exclu que l'*art d'Amour* qui se définit à travers ce roman ait des rapports avec une ou plusieurs traditions ésotériques; sur ce sujet encore, il faut raisonner méthodiquement et donner des faits précis. Mais avant de risquer des hypothèses, on peut consacrer sa réflexion aux intentions qui transparaissent assez nettement, et qui suffisent à justifier la démarche de l'auteur. L'histoire d'amour, en effet, transposée en merveilleuse aventure de rêve, trouve dans la métamorphose allégorique une signification nouvelle. Alors même que l'amoureux semble évoluer au milieu d'un cosmos psychologique, parmi les constellations d'idées personnifiées ou concrétisées sous forme d'objets symboliques, l'histoire du sentiment devient exploration de la

réalité cachée. Il faut étudier la gravitation de ces
entités idéales autour du narrateur, pour découvrir
les lois amoureuses qui régissent le microcosme
de l'âme. La médiation des essences, assurée par
les divers procédés allégoriques, éclaire d'une lumière
philosophique l'histoire dont elles sont l'interprétation.

Toutefois un commentaire purement idéologique
ne saurait nous donner toute la *senefiance* de l'œuvre.
Il faut bien, aussi, que la critique tienne compte
de la qualité poétique de l'œuvre, de l'atmosphère
particulière du songe, de l'harmonie qui s'établit
entre tous les secteurs et tous les niveaux du texte,
bref, de l'universelle analogie qui semble régir l'expression et la pensée, la matière et le sens. Si l'on cherche
à définir le principe de cette analogie, il faut considérer
tous les thèmes et tous les motifs : le chant des oiseaux
et les danses de la société; les fleurs, les animaux
du verger, et la parure des robes; les couleurs des
portraits, et celles de la nature; les manières des
personnages, et le maniérisme du style. Il y a, tout
au long de l'œuvre, comme un jeu de miroirs; les
images se répondent. La porte du verger est en bois
de charme; charmante est Oiseuse qui l'ouvre au
narrateur; Deduit a la face vermeille et blanche
« comme une pomme » de ce verger; Largesse fait
« foisonner » tous les biens de Dieu comme foisonnent
les créatures au paradis d'Amour. Séduisant jeu
de miroirs, inquiétant aussi, car on pense à celui
où Narcisse se laisse prendre.

Comment qualifier cette analogie, comment caractériser ce style, cette vision poétique du monde?
On est tenté de dire : c'est la grâce! La grâce qui
résume les qualités de la rose, dont l'image nous
est maintes fois donnée, avant même son apparition
à l'amant (Oiseuse a un « *chapel de roses* », Liesce
ressemble à une « *rose novele* »), rose en bouton,
fraîche, suggérant une féminité jeune et pure. Grâce
de l'élégance, caractéristique de cette société qui
danse avec une gaieté mesurée, et sans effort apparent.

Grâce d'une nature où l'on voit plus de fleurs que de fruits, plus d'eau que de rochers, plus d'oiseaux que de mammifères, jardin et non forêt sauvage. Beauté gracieuse, d'une toute jeune fille, et non d'une femme mariée, comme Yseut ou Guenièvre... Mais déjà nous interprétons, nous nous laissons séduire et convaincre par le style.

Pourtant, c'est bien ainsi que parle la poésie, qu'elle nous suggère sa pensée secrète. Il y a dans l'œuvre de Guillaume de Lorris une convergence des effets qui devient à nos yeux plus apparente quand on la compare à la continuation écrite par Jean de Meun, quarante ans plus tard. Impression qui n'est pas évidente pour tout le monde puisque, depuis le xIVe siècle jusqu'au plus récent critique (Fleming), on a vu là, parfois, l'ironie d'un moraliste s'exerçant aux dépens des jeunes amoureux. Le domaine du jugement littéraire n'est pas celui des certitudes, mais seulement des probabilités. Disons qu'il est difficile de trouver quelque trace de dérision dans notre texte. Mais de l'inquiétude, oui, devant les périls de l'amour, devant la mort qui guette sous le miroir de l'eau, devant la force du désir qui va détruire la grâce. *Érôs* et *Charis :* cette histoire d'amour nous raconte leur confrontation. Voyons si la géométrie du texte confirme ce que sa finesse semble nous suggérer.

2 LE CONTE MERVEILLEUX

Guillaume de Lorris raconte une histoire d'amour transformée en aventure surnaturelle : un jeune homme, épris d'une rose, voit se multiplier les obstacles qui l'empêchent de la rejoindre. Cette quête merveilleuse est la transposition à peine voilée d'une intrigue amoureuse qu'on pourrait résumer ainsi : un jeune aristocrate rencontre à la cour une belle jeune fille; il en tombe aussitôt amoureux et décide de se mettre à son service. Mais la jeune fille hésite à céder à ses prières, tandis que le jeune homme se demande s'il ne se comporte pas follement. Ce n'est qu'au bout d'un certain temps, après un débat intérieur, que la jeune fille décide de réserver un accueil favorable au jeune homme, lui-même encouragé par des conseils amicaux à se montrer plus audacieux. Un baiser est accordé. Mais aussitôt la jeune fille se ressaisit, et, craignant pour sa réputation, elle s'en tient désormais à une pudique réserve.

Le lecteur est évidemment tenté par l'apparente facilité d'une telle traduction. Jalonnée d'indications psychologiques suffisamment claires, l'aventure se déroule selon un ordre très simple. Il est évident que le texte est écrit de telle façon que le lecteur puisse suivre simultanément l'histoire du « jeune homme à la rose » et celle de « l'amoureux de la demoiselle ». C'est un jeu amusant que de suivre ainsi le double

sens du récit. Toutefois la « lettre » n'est pas assez
transparente pour qu'on puisse arriver à une parfaite
équivalence des deux récits. La métamorphose narrative fait surgir des ambiguïtés, et même quelques
énigmes qu'on ne peut mettre au compte du seul souci
de déguiser, d'orner, de mystifier, non plus qu'à la
maladresse, à l'inachèvement. Plutôt que d'une traduction, c'est d'un commentaire psychologique, qu'il
faudrait accompagner la lecture du conte. Le mérite
de l'allégorie est justement d'être autre chose que la
superposition rigoureuse de deux séries narratives,
l'une au sens propre, l'autre au sens figuré. Comme
son langage n'obéit pas à la logique de tous les jours,
au principe d'identité, comme le monde auquel elle se
réfère ne respecte pas la géométrie euclidienne, comme
les personnages qu'elle met en scène ne sont pas des
individus mais des qualités, la poésie allégorique ne
peut se laisser réduire au simple discours de notre
raison.

C'est avec prudence, par un glissement insensible,
que le récit amorce le clivage entre l'aventure fantastique et l'histoire plus banale d'un amour de jeunesse.
L'artifice du songe permet une transition normale
entre la réalité et le merveilleux. Le narrateur rêve
donc qu'il se trouve en la saison des amours, au printemps, au mois de mai. Son rêve débute par l'évocation
normale et naturelle de la *reverdie*, développant le
thème initial de bien des chansons d'amour : les
fraîches couleurs de la végétation, les chants des
oiseaux illustrent l'éveil de la nature à l'amour (v. 45-
86). En un deuxième moment du songe, souligné par
la même expression qu'au début, « *avis m'iere* »
(« j'avais l'impression ») le narrateur rêve qu'il se lève,
de bonne heure, s'habille, se lave les mains, coud ses
manches selon la pratique de la mode aristocratique,
pressé de sortir, de retrouver le chant des oiseaux et les
fleurs. Il va près d'une rivière et, se lavant le visage
dans l'eau claire, il en regarde le fond : scène qui pré-
figure celle de la fontaine de Narcisse. Longeant cette

rivière, moins abondante que la Seine mais plus large aussi (faut-il penser à la Loire?), il arrive devant un verger clos de murs. Jusqu'ici le contenu du songe peut annoncer, ou reproduire exactement, une histoire réelle : les deux niveaux du récit se confondent encore (v. 87-128).

Le premier élément relativement étrange apparaît avec les peintures murales. Sur le plan du conte elles sont l'objet d'une attention admirative de la part du narrateur (v. 129-464). Derrière leur expressivité dramatique s'ébauche une réflexion morale qui déborde largement le schéma de l'intrigue amoureuse. Mais nous comprenons qu'il s'agit d'un interdit, d'une exclusion : l'histoire d'amour qui va suivre ne concerne pas les personnes vieilles, pauvres, hypocrites, traîtresses, vilaines, tristes, envieuses, avares, convoiteuses et haineuses. Nous voilà rassurés sur le caractère et la condition des protagonistes de l'aventure !

Le récit s'anime, maintenant, car après avoir bien regardé ces images, le narrateur éprouve un vif désir d'entrer dans le verger pour voir les oiseaux dont il entend les chants. En cherchant il trouve une porte très étroite, il frappe, et c'est la première apparition féminine, celle d'Oiseuse, dont le portrait est comme la première ébauche de la femme, chaque personnage rencontré ensuite apportant sa retouche et son complément. Ainsi, sans avoir jamais décrit la demoiselle dont il s'éprend, le narrateur nous donnera l'impression que nous la connaissons, composant une silhouette par addition de portraits successifs. Nous comprenons d'abord que notre héros pénètre dans une société oisive et vouée au divertissement, puisque l'ami d'Oiseuse est Deduit, l'architecte de ce jardin (v. 522-616).

Après ces explications, données sur le seuil du verger, c'est l'évocation de la joie qui règne à l'intérieur. Le narrateur fait allusion à la gaieté qui s'empare de lui, et nous devinons que cet enthousiasme, cette atmosphère de fête, cette promesse de bonheur le préparent à la naissance du sentiment amoureux. Alors il nous annonce qu'il racontera tout, en ordre et sans longueur, sur le verger et la compagnie qui s'y amuse (v. 617-698).

Cette description de la fête au verger pourrait, en un sens, se référer à une situation réelle : fête aristo-cratique et courtoise, marquée de danses gracieuses au son d'instruments divers, avec des ménestrels, des jongleurs, des saltimbanques; deux danseuses présentent une figure de ballet audacieuse, en échan-geant des baisers. Après cette première évocation (v. 699-793), l'auteur nous dit qu'il va énumérer les gens qui participent à la carole, et dont il observe les attitudes, les mines et les manières : ces descriptions nous rappellent que nous avons affaire à une allégorie.

En effet, le premier couple qui nous est présenté est celui de Deduit et son amie, Liesce. Comme tous les personnages de cette petite société, on peut supposer qu'ils représentent, par quelque biais, le couple « réel » que formera le narrateur avec celle dont il s'éprend. Ici l'impression dominante est celle de beauté gaie, qualité désignée en français par le mot intraduisible de *joli;* la mode fantaisiste des deux personnages, l'expression de leur visage confirment l'atmosphère paradisiaque du verger, mais il s'agit donc d'un paradis très épicurien, celui qu'une classe aisée peut espérer créer sur terre à son usage exclusif (v. 794-862). La description du Dieu Amour est plus difficile à interpréter, car elle rassemble plusieurs idées figurées par des emblèmes. On ne nous dit pas clairement quel est son rôle dans ce verger qui n'est pas exactement la cour d'Amour; peut-être est-il là en visiteur, bien que sa robe rappelle le thème floral du site printanier, tandis que les oiseaux voltigeant autour de sa tête évoquent la séduction du chant entendu dès le début du songe. On le compare à un ange venu du ciel. Ses deux arcs et ses dix flèches constituent un arsenal redoutable qui contraste avec le groupe pacifique des danseurs. Au sein de cette

société joyeuse l'amour rôde comme une menace. Le
nom des flèches nous montre fort bien d'où viendra le
danger pour le visiteur : la *beauté*, la *simplicité* (disons
le naturel), la *franchise* (une certaine forme de
noblesse), la *compagnie* (l'intimité d'un entretien),
l'*accueil* aimable. Il est en effet probable que notre
héros ne pourra résister à toutes ces qualités si une
demoiselle les réunit. Plus redoutable, une autre série
de flèches laisse planer l'inquiétude de complications :
l'orgueil, la vilainie, la honte, le désespoir, l'incons-
tance, ces défauts vont-ils balancer les qualités de la
demoiselle? A ce point l'auteur déclare ne pas tout
révéler pour le moment : on saura, dit-il, plus tard
à quoi servent ces flèches (v. 863-984).

L'auteur reprend sa description des gens. Beauté,
à qui Amour tient compagnie, est brièvement caractérisée, mais ses traits sont décisifs, ils vont séduire
notre jeune homme : blanche, mince, sans fard, avec
une longue chevelure blonde; le narrateur se sent
envahi d'une grande tendresse en se remémorant les
détails de son physique. Cette beauté naturelle et
dépouillée, d'autres personnifications vont nous permettre de l'habiller. Le portrait de Richesse est en
effet très détaillé. Sa parure, rehaussée de joyaux et
de pierres diverses, concrétise la puissance qui s'attache
à elle. La demoiselle aimée sera donc riche, et se présentera parée de précieux bijoux. Elle a un ami,
version masculine de la condition fortunée, qui
semble surtout soucieux de ses chevaux. Est-ce un
portrait du narrateur? Comme pour corriger cette
richesse et confirmer qu'elle sera une vertu, voici
Largesse. Tout le monde l'aime, tant elle est géné-
reuse. Elle laisse voir, d'ailleurs, sa gorge... généreuse-
ment. Elle a pour ami un chevalier du roi Arthur,
qui s'est dépensé dans maints combats pour sa belle.
Nouvelle version du couple idéal, nouvelle touche
apportée au portrait de l'amoureux et de l'aimée :
l'un et l'autre auront les vertus essentielles de la
noblesse. En effet, d'autres apparitions vont en nuancer

encore la définition : Franchise qui montre sa condition
par la distinction de ses vêtements (on insiste sur la
bonne qualité de sa *sorquenie*, sa souquenille, car
l'auteur prétend que ce vêtement est plus séduisant
qu'une *cote*). Elle est accompagnée du seigneur de
Guindesores (Windsor) : la distinction britannique !
Autre couple, Courtoisie et son ami, dont on ne nous
dit pas grand-chose, sinon qu'ils savent bien parler.
On nous rappelle la présence d'Oiseuse; et la revue
se termine avec le portrait de Jeunesse et de son ami.
Ils ont douze ans et échangent des baisers comme
deux pigeons, innocemment, sans aucune honte, devant
tout le monde. Retenons cette extrême jeunesse qui
nous donne peut-être une indication sur l'âge des protagonistes. Ainsi se termine la description de la petite
société en train de danser : le narrateur conclut que
tous ces gens sont de naissance, d'éducation et de
manières distinguées (v. 985-1282).

Ces personnages ne peuvent simplement représenter
le couple amoureux-aimée, ils n'en sont pas la seule
apparence, la manifestation exclusive. D'abord parce
que ce couple n'existe pas encore; il s'agit d'une image
prémonitoire, tout au plus. Ensuite il n'est pas certain
que tous les détails s'appliquent également à nos deux
amoureux; ainsi quand Jeunesse et son ami s'embras-
sent innocemment, on a quelque difficulté à imaginer
les scrupules qui vont multiplier les obstacles de la
quête racontée dans la suite du roman. Enfin nous
avons affaire à une définition extérieure, et non encore
à une analyse intérieure; dans cette perspective, les
qualités individuelles se confondent avec celles du
milieu social. Nous en sommes encore, si l'on veut,
à un premier ravissement du jeune homme qui est
admis dans la société mondaine; son émerveillement
ne s'est pas encore fixé sur un objet précis. Après avoir
été attiré par les chants, il est maintenant pris par
l'atmosphère de fête, par la danse. La progression
allégorique diffère de la progression purement narrative. Au lieu de faire se rapprocher deux personnages

préalablement décrits et définis, l'auteur semble
rapprocher son lecteur lentement, méthodiquement,
de tous les personnages à la fois, et du lieu de leur
rencontre, par une mise au point du regard, de plus
en plus précise et détaillée. Si l'on peut risquer des
métaphores cinématographiques, disons que nous
avons affaire à un procédé de *zoom* au lieu d'un
travelling.

Le narrateur éprouve alors le besoin d'explorer le
verger. Il voudrait bien, lui aussi, avoir une amie pour
participer à la vie paradisiaque qu'il y voit mener.
Comme pour concrétiser ce sentiment, Amour suit
notre héros, l'arc à la main, pendant son exploration,
ce qui l'inquiète malgré tout : à l'attente de l'amour
se mêle quelque appréhension. La description des
arbres ne nous apprend pas grand-chose sur le plan
des sentiments, non plus que l'évocation des animaux.
L'auteur s'efforce surtout de revenir sur le charme
de la nature, dont l'agrément l'invite à faire comme
ces amoureux qu'il a vus *donoier* (« faire l'amour »)
sous les ombrages (v. 1283-1422).

Nous arrivons à la fontaine de Narcisse. Son histoire,
que le jeune homme connaît déjà et dont il se souvient
en lisant l'inscription qui nomme Narcisse, renforce
son inquiétude. Se rappelant la mésaventure de celui
qui y mourut, il appréhende les redoutables ven-
geances du Dieu d'Amour. Toutefois il se rassure, sans
doute parce qu'il n'est pas question pour lui de
commettre la même faute, le dédain pour une dame
amoureuse, Écho. Et finalement le narrateur semble
tirer surtout de cet avertissement une nouvelle raison
de céder à l'appel amoureux (v. 1423-1520).

C'est alors que le conte prend un tour nettement
merveilleux, avec l'évocation du pouvoir magique
de la fontaine. D'abord elle assure à la végétation qui
l'entoure une vie éternelle. Ensuite elle offre son miroir
au narrateur, avec deux pierres de cristal qui représentent peut-être ses deux yeux reflétés par l'eau.
Mais surtout, et l'auteur insiste sur cette « merveille »,

elle donne une image très belle, très colorée et très précise du paysage environnant, si bien qu'on y voit toujours, de quelque côté que l'on se tourne, la moitié du verger. Les explications qui suivent ne font qu'épaissir le mystère. C'est ici que commence l'amour, sa folie, sa fatalité. Personne ne résiste à cet attrait, à ce pouvoir, cette force magique qui s'exercent sur celui qui regarde en ce miroir. Et l'auteur de nous annoncer qu'il nous dira plus loin la vérité. En attendant il regrette d'être tombé dans le piège dont il avait méconnu la magie (v. 1521-1612).

Comment reconnaître, dans la réalité, un tel miroir? Que peut-il bien figurer? Étant donné le rôle qu'il joue dans la naissance de l'amour et sa nature, on songera aux yeux de la demoiselle. Les yeux n'ont-ils pas à la fois le pouvoir réfléchissant d'un miroir et la force secrète qui capte le regard de l'autre? N'est-ce pas le premier échange de regards qui souvent fait naître l'amour? Il est vrai que l'exemple de Narcisse complique un peu le symbole par la logique d'un récit qui ne se situe pas sur le même plan. Se regardant dans un vrai miroir, il y voit l'autre miroir, celui de « *ses ieuz vers* » et, comme dit Valéry : « Ses yeux dans ses yeux, s'enivre de l'échange/Entre soi-même et soi... ». C'est ainsi que, dans le regard de l'autre, on peut voir ses propres yeux reflétés, où nous reconnaissons le danger du désir narcissique, ne cherchant dans l'amour que le reflet de soi. Ce danger, justement, notre personnage aura su l'éviter puisque dans le miroir un autre mystère va l'attirer plus loin, conformément aux lois, à la logique de l'amour vrai. Une fois de plus il faut dire que le récit merveilleux et l'aventure amoureuse à quoi il fait allusion ne peuvent coïncider exactement, terme à terme. La correspondance entre les deux niveaux n'est pas continue ni homogène. L'univers poétique du conte n'a pas la cohérence du roman psychologique. C'est pourquoi l'on peut, malgré certaines discordances de détail, maintenir que l'épisode de la fontaine, sur le plan du conte, correspond sur le plan de l'histoire des deux amoureux à la rencontre des yeux.

L'apparition des rosiers dans le miroir de l'eau provoque aussitôt une envie folle de s'en rapprocher, alors que le parfum invite à la cueillette, tentation réprimée par la peur de déplaire au seigneur du verger. Plus attiré par les jeunes boutons que par les fleurs épanouies, le narrateur en a choisi un de couleur rouge, sur une tige bien droite. Troublé, il tend la main pour s'en saisir, mais il est tenu à distance par les épines de chardon, de ronces et d'orties. Cet épisode (v. 1613-1678) traduit certainement la fixation du désir sur une jeune demoiselle, dont la rose est alors le symbole diffus mais orienté. Il serait inconvenant et absurde de chercher plus de précision anecdotique. L'objet du désir, en la même personne aimée, changera naturellement avec le temps, selon la logique de l'amour. Déjà la séduction du parfum est venue renforcer celle de la beauté visuelle.

La scène suivante nous montre le guet-apens, l'attentat auquel se livre le dieu d'Amour. Les flèches dont il blesse le narrateur symbolisent cette fixation amoureuse sur une personne, les raisons ou les causes de la séduction durable (beauté, modestie, courtoisie, compagnie, accueil favorable), enfin et surtout la souffrance du désir, sa force obstinée qui pousse vers un seul objet, la fatalité qui le fait s'aggraver de lui-même, son paradoxe qui fait trouver quelque douceur, quelque plaisir dans sa brûlure et dans son amertume. Tout ce passage (v. 1679-1878) analyse le mécanisme du « coup de foudre ». Mais on peut aussi imaginer un processus plus lent. Le jeune homme a d'abord été séduit par la beauté. Puis son amour s'est confirmé quand, connaissant mieux la jeune fille, il a pu en apprécier la *simplece*, la modestie, et la courtoisie, qualité qui ne se révèle qu'au cours d'une fréquentation au moins mondaine. La compagnie, en effet, implique des relations suivies, donc un certain temps, pour que se manifeste cette qualité de sociabilité qui conduit à la faveur témoignée, au *biau samblant*. Alors seulement la douleur du désir se tempère de quelque douceur. Toutes ces qualités, associées au schéma psychologique et physique que suggère le bouton de rose (fraîcheur, harmonie, innocence), se rapportent à la personnalité de la jeune fille sans toutefois en donner le portrait, ou même en situer la présence tangible. D'où la difficulté qu'éprouve le lecteur, pour reconstituer l'histoire des relations entre deux êtres, à déterminer les contours, les limites des deux personnalités.

La scène de l'hommage, par laquelle l'amoureux se met au service du seigneur Amour (v. 1879-2048), nous place précisément dans la zone ambiguë où se croisent les deux perspectives, les deux éclairages possibles. Résolution intérieure de l'amoureux, ou déclaration officielle à la demoiselle élue? L'engagement pris ici d'obéissance et de fidélité vaut d'abord sur le plan personnel : ayant pris conscience de son désir, l'amoureux décide d'en assumer les conséquences et d'y consacrer sa vie. On peut aussi, poursuivant l'interprétation dramatique de l'allégorie, imaginer que les paroles adressées à Amour sont la traduction dogmatique de l'aveu et de la promesse que le jeune homme fait à la jeune fille. Toutefois le baiser sur la bouche, geste d'allégeance, n'est sûrement pas donné à la jeune fille, comme la suite du récit nous le fera comprendre. Et les commandements qui vont être formulés ne peuvent venir d'elle. L'ambiguïté du passage tient à un aspect de la doctrine amoureuse, si notre héros, selon une vieille tradition philosophique, s'intéresse plutôt à l'amour qu'à la femme aimée.

D'où viennent en effet ces commandements (v. 2049-2220)? Sur le plan de l'intrigue amoureuse il n'est guère important de le préciser. Ici se résume une doctrine diffuse dans la littérature courtoise. Le jeune homme reçoit de quelque façon, ou se remémore, un enseignement conforme à la culture d'un jeune damoiseau. Il est fait allusion à l'exemple de Gauvain, qu'on oppose à celui de Keu, et ceci nous fait songer à une lecture de Chrétien de Troyes. D'autres préceptes, concernant l'hygiène et la toilette, sont dans l'esprit des *Livres de Manières* et des *Chastoiements*. L'ensemble du passage ressemble assez aux *ensenhamens*, aux enseignements de la littérature occitane. En dehors de l'aspect doctrinal, sur lequel nous reviendrons, ce passage ne présente pas d'intérêt dramatique.

La seconde partie de l'enseignement (v. 2221-2566) pose un problème plus intéressant. C'est la « pénitence », imposée à l'amoureux, qui sert de transition avec le rappel du principal commandement : « Je veux et commande que tu mettes ton cœur en un seul lieu ». Suit l'annonce des douloureuses aventures qui attendent notre héros. Il s'agit en fait d'une définition générale de la condition amoureuse, et de ses souffrances. L'exposé est fait au futur, ce qui ne laisse pas de perturber la fiction narrative, car cet énoncé de la loi se transforme en prophétie particulière : « Tu iras seul, à l'écart, soupirer et te plaindre...; parfois tu resteras distrait par tes pensées, restant muet et immobile comme une statue; puis, reprenant conscience, tu soupireras du fond du cœur ». On nous dit même quelles seront les paroles de l'amoureux, son débat intérieur et les raisons qu'il se donnera d'aller rejoindre son amie lointaine. Et la présentation au discours direct d'un *topos*, celui de la délibération amoureuse, tient le lecteur à mi-chemin entre la généralité du didactisme et la singularité du récit romanesque. Par la bouche du dieu Amour l'auteur énumère encore une série d'actions singulières, de démarches qu'accomplira l'amoureux : d'abord il ne pourra voir son amie, et il reviendra pensif et morne; puis quand il réussira à l'apercevoir, il sera heureux, mais son désir l'enflammera davantage; il se reprochera de ne pas lui avoir adressé la parole; quand l'occasion s'en présentera, il se troublera et ne pourra dire les deux tiers de ce qu'il veut; mécontent de lui, il se tourmen-

tera; au cours de ses insomnies il s'imaginera tenir
sa belle entre ses bras; mais ses rêveries seront suivies
de moments de désillusion. Alors l'auteur, de nouveau,
nous expose au style direct (toujours dans le sermon
du dieu Amour) les pensées futures de l'amoureux :
« Dieu! qu'ai-je songé? Qu'est-ce donc? Où étais-je?
D'où me vint cette pensée...? » Le monologue se prolonge (2436-2490) durant toute la nuit, et il se termine
par l'attente impatiente de l'aube : « Ah! Soleil!
pour Dieu, hâte-toi donc, ne séjourne ni ne t'arrête,
fais partir la nuit obscure et son tourment, car
l'épreuve est trop longue ». Puis l'amoureux se lèvera,
partira, qu'il pleuve ou qu'il gèle, vers la maison de
son amie tranquillement endormie, et lui restera
dehors, cherchant à voir et à entendre ce qui se passe
à l'intérieur, embrassant la porte et repartant avant
que le jour ne le surprenne. Ensuite il fera des cadeaux
à son amie et à ses serviteurs, évitant de trop s'éloigner.
Et Amour conclut : « Je t'ai dit comment et en quelle
guise un amant doit faire mon service ».

Curieux roman, en vérité, où tout est raconté au
futur! Après cela, il ne restait plus rien, ou presque,
à inventer, le passage ayant résumé toutes les conduites
possibles de l'amoureux. Guillaume de Lorris ne se
serait-il pas laissé entraîner trop loin, épuisant
d'avance son sujet? De plus, comme au récit anticipé
se trouvent mêlées des considérations sur le caractère
banal et inéluctable de ces aventures, l'auteur semble
se priver de tout intérêt romanesque, tandis que l'allégorie a fait place, sous le couvert de la prosopopée
donnant la parole à Amour, à un exposé psychologique.

Mais justement, ce que l'auteur fait par ce long
discours correspond à notre tentative d'explication,
telle que nous l'avons ébauchée pour la première
partie du récit allégorique. Et l'idée s'impose que ce
long commentaire au futur doit nous donner le sens
des épisodes suivants, qui vont nous raconter les
mêmes aventures sur le mode métaphorique de l'allé-

gorie. On peut même se demander si les vers 2058-2074 où l'auteur annonçait « *dou songe la senefiance* » ne visent pas précisément tout ce discours d'Amour. Du moins est-il certain que c'est à partir de ce discours qu'il nous faudra chercher la signification dernière du roman.

Le retour à la narration allégorique est, en quelque sorte, préparé par la dernière partie du discours d'enseignement (v. 2576-2748). L'annonce des souffrances à venir a épouvanté le narrateur, il se demande comment il pourra endurer un tel enfer. Alors Amour le réconforte en lui parlant d'Espérance qui n'abandonne jamais un vaillant homme. Puis il évoque trois autres biens, trois créatures allégoriques auxquelles l'auteur ne donne pas d'existence bien précise : on ne sait pas vraiment si ce sont des personnages. Mais l'évocation de leur influence bénéfique complète le commentaire psychologique des prochaines aventures. Doux Penser ramène la joie en évoquant le visage de l'aimée, ses yeux riants, son nez droit, sa bouche colorée, sa douce haleine. Doux Parler survient quand un ami entretient l'amoureux des qualités de l'aimée. Le conseil de choisir un confident sera suivi effectivement par notre héros, ce qui prouve bien que tous ces propos doivent s'appliquer à la suite du roman. Enfin Doux Regard, quand l'amoureux peut contempler « le sanctuaire précieux dont il est si désireux », apporte la lumière au cœur plongé dans les ténèbres de la souffrance. Sans doute cette dernière promesse concerne-t-elle un épisode heureux que l'auteur n'a pas rédigé. Mais il ne faut pas nécessairement s'attendre à trouver un épisode du drame allégorique pour chaque élément de l'analyse psychologique donnée ainsi par anticipation.

L'action de notre aventure, interrompue par le discours d'Amour long de 700 vers, va maintenant reprendre, le narrateur se trouvant soudain livré à lui-même, avec ses blessures ; mais il sait qu'il ne pourra obtenir le bouton de rose qu'avec l'aide de ce dieu

qui vient de disparaître à ses yeux (v. 2749-2760).
Nous revoici donc devant le rosier, défendu par une
haie d'épines. Alors survient Bel Acueil, fils de Courtoisie, qui l'invite à franchir la haie pour mieux sentir
le parfum. Nous comprenons que la jeune fille se
montre aimable, en raison de son éducation ou de son
naturel courtois (v. 2761-2806). Mais à ce moment,
quatre personnages vont empêcher l'amoureux
d'arriver « à bon port » : Danger, Male Bouche, Honte
et Peur. L'auteur nous explique leur rôle dans le
conflit qui oppose Vénus et Chasteté à propos des
roses. Ces explications, à ce moment du récit, nous
suggèrent que l'enjeu final de la quête est bien,
comme nous l'avions deviné, l'union charnelle avec
l'aimée. Il faut cependant remarquer que l'indétermination de l'allégorie permet de laisser subsister un
doute, surtout si l'on ne cherche pas à interpréter le
symbole de la rose en fonction des autres personnages,
de leur définition et de leur généalogie. L'allégorie est
calculée pour ne pas trahir les lois de l'euphémisme
courtois. Voici néanmoins notre amoureux obligé de
se contenter d'un gage plus discret que la faveur à
laquelle aspirait son désir : il cueille une feuille verte,
assez près du bouton pour se croire presque arrivé.
Enhardi par ce premier succès, il apprend à Bel Acueil
comment il est blessé et demande, pour guérir, le
bouton de rose. Bel Acueil est effrayé par cette
demande, et plaide qu'il convient de laisser le bouton
croître et embellir. Danger, qui a les apparences d'un
vilain diable, réprimande Bel Acueil et chasse l'amoureux en l'invectivant. Celui-ci regrette d'avoir ainsi
dévoilé sa pensée, et il se lamente d'être séparé de la
rose. Cet épisode (v. 2807-2954) est le premier d'un
petit drame métaphorique parfaitement cohérent, et
qui nous mènera jusqu'à la fin du texte rédigé par
Guillaume de Lorris. Désormais l'auteur, sûr de son
procédé, n'a plus qu'à laisser se développer l'intrigue
imaginée à partir d'une analyse des motivations amoureuses. Il nous est donc relativement facile de recons-

tituer la scène mettant en présence un jeune homme
et une jeune fille. Nous voyons bien comment, après
avoir un peu hésité, le soupirant a pu se montrer trop
hardi dans ses premiers rapports avec l'aimée, effa-
rouchant sa pudeur. Il a notamment eu tort de ne pas
respecter son extrême jeunesse; c'est du moins ce
qu'a dû lui dire la jeune fille, par la bouche de Bel
Acueil. Après quoi elle l'a banni de sa présence, par
la bouche de Danger. A chacun de ces personnages
correspond un type de discours, mais ils représentent
les divers aspects d'une conversation entre les deux
protagonistes de ce flirt.

C'est alors qu'intervient Raison (v. 2955-3082).
Nous avons déjà parlé de son apparition chargée
d'emblèmes. Son discours est un long sermon. Elle
blâme le narrateur d'être entré dans le verger; Oiseuse
est de mauvaise fréquentation. Il est temps de se
reprendre et d'oublier l'amour. C'est folie que
d'affronter ces puissances qui défendent les roses;
la souffrance qu'on endure à cette quête est sans
commune mesure avec la joie qu'on y peut trouver.
Mais le narrateur s'irrite de ce *chastoiement*. Il ne veut
pas trahir la parole qu'il a donnée à Amour. Ce dialogue se déroule évidemment en l'absence de la jeune
fille, dont la présence physique est habituellement
marquée par Bel Acueil ou par Danger. En effet on ne
peut lui prêter les termes de cette remontrance. Il peut
s'agir d'un débat intérieur, dans l'esprit du jeune
homme, ou d'une conversation avec une personne plus
âgée, chargée de son éducation. Au reste, la conscience
morale est en chacun de nous l'écho des leçons que
nous avons lues ou entendues. Dans son apparente
naïveté, l'allégorie reflète l'entrecroisement des discours reçus qui constituent la substance de nos
pensées.

Cependant le narrateur nous dit être resté plein de
chagrin, pleurant et se plaignant souvent. Se souve-
nant du conseil que lui avait donné Amour, il va
trouver un compagnon pour lui raconter ses malheurs.

Ami le rassure en lui disant que Danger se laissera
fléchir si on sait lui parler. Il faut lui demander pardon
et lui promettre de ne plus rien faire qui lui déplaise.
Ce court passage (v. 3083-3134) est à peine métaphorique. La scène du confident peut se jouer dans la
vie réelle. Il suffit de changer, dans les propos d'Ami,
Danger par la jeune fille, dont il représente l'accueil
alors hostile.

Suivant ces conseils le narrateur va donc trouver
Danger; il s'excuse, promet de ne plus rien faire qui
puisse fâcher ce redoutable personnage. Le pardon
est accordé, à condition qu'il ne franchisse plus la haie
pour s'approcher des roses. Ami, de nouveau consulté,
conseille la patience pour obtenir une pitié plus géné-
reuse. Danger monte en effet une garde vigilante :
pas question de s'approcher des roses (v. 3135-3230).
Tout ceci suggère une réconciliation entre le jeune
homme et la jeune fille; mais celle-ci reste sur ses
gardes (Danger) et ne permet à son amoureux aucune
privauté.

Alors Dieu (sans doute Amour) envoie Franchise
et Pitié pour aider le narrateur à sortir de cette
impasse. Toutes deux parlent à Danger, plaidant la
cause de l'amant malmené. Il faut faire revenir Bel
Acueil. Danger donne son accord et Franchise va
quérir Bel Acueil qui ne se fait pas prier pour venir
prendre l'amant par la main et le mener dans le jardin
dont Danger l'avait banni (v. 3231-3336). Le jeu des
personnages allégoriques nous donne une image
ingénieuse et amusante de la réalité supposée. La
présence de la jeune fille, d'abord figurée par Danger,
est ensuite représentée par Bel Acueil, son attitude
ayant changé sous l'effet d'une argumentation qui
semble née dans ses seules pensées. Devant l'attitude
humble et soumise de son amant, devant ses larmes,
elle se laisse attendrir et trouve des motifs pour se
montrer plus câline et plus tendre.

Voici donc que l'amant redécouvre la rose. Elle a
changé, elle est plus épanouie, sans l'être au point de

laisser voir la graine entre les pétales. Plus épris que
jamais, l'amant demande à Bel Acueil l'autorisation
de lui donner un baiser. Invoquant Chasteté, Bel
Acueil refuse : « Qui accorde un baiser ne peut plus
refuser le reste », dit-il. L'amant, qui a appris la prudence, n'insiste pas. Mais Vénus intervient, tenant en
sa main le brandon enflammé dont elle a « échauffé
mainte dame ». Elle fait à Bel Acueil l'éloge de
l'amant, insistant sur sa beauté, sa jeunesse, la sensualité de ses lèvres, la blancheur de ses dents...; bref
elle donne à la jeune fille l'envie de lui accorder un
baiser. Et voici notre narrateur en extase : « Si j'eus
quelque joie? que nul ne me le demande, car un parfum
me pénétra le corps en chassant toute la douleur... »
(v. 3339-3480). Ce récit est si charmant qu'on appréhende de le saccager par un commentaire trop pro-
saïque. Malgré ce que nous avons déjà dit du symbole
de la rose, il serait maladroit d'en faire un concept
anatomique, constant et univoque. En vérité tout le
monde, ici, a compris que le jeune homme a donné
à la jeune fille un baiser sur la bouche. Tout le monde
devine aussi que la rose, objet du désir amoureux,
en d'autres circonstances pourra l'entraîner plus
loin. Jean de Meun composera son œuvre pour le
conduire aussi loin que possible, et s'il trahit Guillaume
de Lorris, ce n'est pas dans cette logique du symbole.

Guillaume de Lorris n'a pas eu le temps, ou le goût,
de mener l'amant jusqu'à ce bonheur suprême dont la
rose semble envelopper la promesse. La péripétie
malheureuse qui commence ici se prolonge jusqu'au
dernier vers. Elle est annoncée en des termes qui font
malgré tout transparaître l'intention de poursuivre
le roman jusqu'à une conclusion heureuse : « Il faut
que je vous raconte, dit l'auteur, comment j'eus
affaire à Honte, qui m'a fait beaucoup de mal, et
comment fut construit le riche château fort, qu'Amour
a pris, depuis, de vive force ». Cette dernière proposition nous suggère en effet le triomphe d'Amour.

Mais voici Male Bouche, qui surprend l'attitude de

Bel Acueil et va tout raconter à sa mère. Ce passage n'est pas très clair : qui est cette mère? Sans doute Jalousie qu'on voit se lever à ces mots, pour aller réprimander Bel Acueil. Elle lui reproche de laisser venir dans le jardin un débauché. Le narrateur, craignant la dispute, s'enfuit; ce qui ne l'empêche pas de nous raconter ce qui se passe en son absence. Honte est venue excuser Bel Acueil, tout en admettant la nécessité de le surveiller de plus près. Jalousie s'emporte alors contre la luxure qui règne partout. Elle annonce son intention de faire clore de murs l'endroit où se trouvent les rosiers et de mettre Bel Acueil en prison. Restées seules, Peur et Honte, sa cousine, décident d'aller réveiller Danger; il dort en effet, il ne remplit plus sa tâche. Sur lui pleuvent les invectives, comme sur un valet négligent. Alors le vilain jure qu'on ne l'y prendra plus et part inspecter le jardin. Cependant l'amant n'a plus que le souvenir du doux baiser; il maudit les mensonges de Male Bouche qui l'ont replongé dans l'enfer des souffrances du cœur.

Pour se retrouver dans cette intrigue assez complexe (v. 3481-3778) le lecteur doit se souvenir qu'un certain nombre de personnages ne sont que les avatars de la jeune fille : sa présence passe de l'un à l'autre selon les sentiments qui l'agitent. C'est ainsi que Bel Acueil cède de nouveau la place à Danger, et cela signifie l'amant est cette fois mal accueilli, et même banni de sa présence. Toutefois les raisons de ce revirement ne sont peut-être pas uniquement psychologiques. Honte et Peur, qui déterminent cette nouvelle conduite, ne représentent pas une réaction de pudeur spontanée. Le rôle de Male Bouche et de Jalousie est en effet déterminant. Que s'est-il donc passé? Visiblement on a tenu des propos qui tendent à discréditer le jeune homme. Ce n'est pas la jeune fille qui les a inventés. Male Bouche traduit donc une opinion venue d'ailleurs, les racontars. Il n'est pas certain que ce soit à la jeune fille qu'ils ont été rapportés. Il se peut en effet que Jalousie soit une image des parents de la jeune fille, de sa mère, par exemple. Et ainsi l'on aurait dans la métaphore de l'emprisonnement un reflet presque direct de la réalité : comme Bel Acueil, la jeune fille est séquestrée par ses parents. Autre signification possible : certaines médisances, dont le jeune homme est la victime, des allusions à de prétendues débauches provoquent une réaction méfiante et jalouse de la jeune fille qui décide de ne plus le revoir. Ici encore l'allégorie, par son ambiguïté, nous met sur la voie de vérités psychologiques; car la jalousie, chez nous, peut assumer une persécution morale qui a son origine dans notre entourage.

Voici donc Jalousie faisant construire le château fort. Un fossé est creusé autour des rosiers; puis on édifie des murs en pierre de taille derrière ces fossés pour former un carré de cent toises de côté. A chaque angle une tour, et sur chaque côté une porte bien gardée. Le donjon, une tour ronde, se trouve au milieu des rosiers. Tout est prévu pour que ce château puisse subir un siège. Outre l'armement, on énumère la garnison : c'est là que nous retrouvons, dans leurs nouvelles fonctions de gardiens, Danger, Honte, Peur et Male Bouche. Celle-ci fait accompagner par ses joueurs de trompe les chansons qui calomnient les dames. Enfin Bel Acueil est emprisonné dans le donjon, sous la garde vigilante d'une vieille qui connaît toutes les ruses des amoureux : les rosiers n'ont plus rien à craindre (v. 3779-3919). Ainsi la bienveillance de la jeune fille à l'égard de son amoureux ne risque plus de se manifester. Elle est bloquée par ce « complexe » fait de Honte et de Peur, sentiments entretenus par des ragots, cause eux-mêmes de l'attitude négative de mépris pour l'amoureux (Danger). Cet édifice nous donne la figuration spatiale d'un déterminisme psychologique. Il faut reconnaître au procédé une certaine efficacité, qui dépasse largement les possibilités du langage savant de l'époque. Une chose est curieuse : la pluralité des rosiers, victimes de cette aventure. Il y a là comme un élargissement épique du récit; le narrateur s'est trouvé le héros d'un conflit général mettant aux prises Vénus et Chasteté; sa défaite, sans doute momentanée, compromet le sort des amours dans tout un secteur de l'univers.

Au moment où notre aventure merveilleuse débouche ainsi sur une perspective d'épopée, les lamentations du narrateur nous replongent dans le monde de la subjectivité (v. 3920-4028). L'accent est mis sur la personnalité du narrateur : « *Mes je, qui sui dehors le mur, sui livrez a duel et a poine.* » Il se compare au paysan qui, ayant ensemencé sa terre, a eu le plaisir de voir pousser son blé en herbe; mais avant la moisson l'orage a détruit ses épis en fleur. Cette métaphore, qui n'est pas sans rapports obliques avec le thème du roman, signifie qu'il a perdu l'espoir alors qu'il se croyait sur le point d'aboutir. Du moins le craint-il, et il s'en prend à Fortune dont il vient de subir un revers. Il invoque Bel Acueil, lui demande de lui garder au moins son cœur, puisque son corps est en prison. Toutefois il exprime ses doutes. Il maudit encore les « losengers », les médisants et envieux qui ont voulu lui nuire. Et finalement il craint que Bel Acueil ne l'ait déjà oublié.

Ici la part de surnaturel se réduit au minimum. Sous le nom de Bel Acueil l'amoureux semble s'adresser directement à la jeune fille (et l'image d'une séquestration involontaire s'impose). Nous avons l'impression d'un retour à une réalité plus immédiate, à une situation vécue par l'auteur. Cette impression est d'ailleurs renforcée par l'emploi, dans tout ce passage, du présent de l'indicatif. Certes, dans le cours du récit, le narrateur a déjà eu recours au présent de narration ou au présent de généralité, dans l'exposé des lois morales. Dans la mesure où l'analyse des sentiments se fait par le détour du drame, le recours au présent de narration est normal quand, par exemple, l'amoureux explique sa timidité devant Danger : « *Il voit maintes foiz que je pleure/et que je me plain et sopir...* » (v. 3218-19).

Mais à la fin de notre texte, le présent de l'indicatif, dans le récit, semble rejoindre la situation du narrateur au moment où il *conte et dit*. Est-ce parce que le roman s'arrête alors? En tout cas on peut se demander si ce n'est pas l'auteur qui s'exprime, cette fois directement, oubliant la fiction du songe.

Dans une telle hypothèse Guillaume de Lorris, qui avait entrepris d'écrire pour obtenir un *guerredon*, une récompense de sa belle (v. 3487-3492), se serait arrêté au moment où son personnage n'a plus d'espoir. Peut-être l'auteur lui-même n'a-t-il pas eu le courage d'aller plus loin. On peut même imaginer, au point où nous en sommes, qu'il est mort d'amour, son destin personnel venant déjouer le projet narratif. Ce qui nous amène à reconsidérer l'hypothèse autobiographique. Rappelons-nous le début du poème. Le songe que l'auteur va nous raconter, il l'a eu dans sa vingtième année. Combien d'années, donc, avant le début de la rédaction? Cinq ans, s'il faut prendre à la lettre les vers 45-46 : « J'avais l'impression que c'était le mois de mai, il y a bien cinq ans ou plus... » Mais la chronologie n'est pas claire en raison du double décalage, celui du récit et celui du songe par rapport à la réalité supposée. Quand Vénus fait le portrait du narrateur, elle dit qu'il est encore un « enfes ». Rappelons-nous aussi l'âge de Jeunesse qui, de même que son ami, a douze ans. En vérité, tout ce roman construit sous nos yeux un personnage d'amoureux qui n'a probablement qu'un rapport très indirect et élaboré avec la personnalité de l'auteur. Si Guillaume de Lorris se met dans une certaine mesure en scène, ou plus exactement en cause, c'est en tant qu'écrivain et non en tant qu'amoureux. Car le thème amoureux lui-même n'apparaît que dans une perspective littéraire : l'amour courtois dont il est question est avant tout un amour poétique. En marge de ce récit la présence qui se dessine n'est pas celle de Guillaume de Lorris, cet homme dont au demeurant nous ne savons rien de précis, sinon qu'il devait être originaire de cette petite ville de l'Orléanais; mais c'est la présence du narrateur, personnage ambigu, en qui se confondent par la fiction du songe la vocation poétique et le destin amoureux. L'amour, la poésie, ce sont les deux aspects d'une même réalité littéraire.

Car ce songe, loin de se présenter dans l'apparent désordre du rêve, est construit méthodiquement à partir de la thématique du lyrisme amoureux. On a reconnu au passage la *reverdie* printanière, la description du verger, *locus amoenus*, les danses associées habituellement au lyrisme, le ravissement devant la beauté féminine, les nuances du désir, la timidité, le baiser, la séparation, et les différentes plaintes qui expriment les souffrances amoureuses. Quant à ce présent de l'indicatif, qui nous intriguait à la fin du récit, c'est celui de la complainte dont notre conte évidemment s'inspire, en la développant à sa manière.

D'autre part le songe remet en ordre ces moments lyriques pour les placer dans la logique d'une aventure. Ce faisant l'auteur retrouve, en partie, la démarche de Chrétien de Troyes : dans les deux cas le *roman* tend à présenter selon un fil narratif continu ce que les recueils poétiques offrent dans la discontinuité. Mais ce changement de mode littéraire entraîne une métamorphose du contenu. Un certain nombre de données statiques, les états d'âme, apparaissent sous forme d'actions, de processus dynamiques. C'est justement par ce biais que Chrétien de Troyes pouvait orienter sa matière selon ses intentions, sa *signifiance*. Non sans faire appel à des structures narratives empruntées à la tradition bretonne comme la quête, la trahison, le château-piège, structures parfois communes au conte mythique et à l'épopée nationale.

Le narrateur du *Roman de la Rose* est très attentif à l'enchaînement de son récit. L'articulation des différents moments est en général marquée par une transition du genre : « Je viens de vous parler de cela, je vais maintenant vous parler de ceci. » Au vers 696 il nous fait prendre conscience des servitudes du récit linéaire : « *Tot ensemble dire ne puis,/mes tot vos conteré par ordre,/que l'en n'i sache que remordre* (critiquer) ». Cet ordre est important, le sens de l'œuvre en dépend. Il ne faut pas le confondre, dans une allégorie, avec une chronologie authentique. L'histoire de l'amour n'est pas l'histoire d'un amour. La chronologie des événements n'est que l'apparence d'une logique plus profonde sur laquelle on veut attirer notre attention. La projection dans le temps, tout en donnant une impression de fait vécu, sert à figurer un rapport de cause à effet. Il est naïf de chercher dans la succession des épisodes une réalité autobiographique. Ce que le récit nous propose, c'est une certaine vraisemblance. Nous avons pu ainsi, à partir des données du conte merveilleux, imaginer une aventure banale entre deux jeunes gens. Mais dans leur commune aventure ainsi reconstituée, nous n'avons rencontré aucune singularité qui suggère une vie particulière, la rencontre unique de deux personnes. Au contraire le récit semble fondé sur un canevas de lieux communs, du moins dans la tradition propre à ce qu'on appelle l'amour courtois. Le *Roman de la Rose* raconte sur un mode merveilleux un amour banal.

Comme souvent, devant la littérature médiévale, nous sommes donc amenés à réfléchir sur l'étrange association du vraisemblable et du merveilleux, du naturel et du surnaturel. Ce n'est qu'un cas particulier des problèmes de l'image, dont l'ambiguïté a souvent, depuis Platon, intrigué les philosophes. Le Moyen Age avait une curieuse conception de l'image, qui se manifeste notamment quand on parle de miroir, de *speculum*. Justement Guillaume de Lorris y fait allusion en présentant la fontaine de Narcisse où se reflète le jardin « *tot a orne* », en ordre. Cet ordre n'est pas nécessairement plus subtil que celui qui apparaît au regard direct; mais alors pourquoi avoir fait dépendre le ravissement amoureux de la contemplation dans ce miroir? Pur motif ornemental? N'oublions pas le piège magique, dont on nous a montré la mise en scène (on a semé autour de la fontaine la graine d'amour). Rappelons-nous que pour bien des penseurs de l'époque, l'image, débarrassée des détails concrets, est plus pure, donc plus vraie que la perception directe. C'est pourquoi le titre de *miroir* est si souvent donné aux œuvres didactiques qui prétendent nous dire la vérité sur tel ou tel problème moral. C'est dans ce *speculum* qu'apparaît, resplendissant de vérité, l'*exemplum*. Cet amour, à la fois merveilleux et vraisemblable, c'est au fond un amour *exemplaire*. Il serait imprudent de le confondre avec la vie de Guillaume de Lorris. On commettrait ainsi une erreur analogue à celle qu'ont commise les auteurs des *Vies* des troubadours, qui ont donné une interprétation biographique de toutes les allusions entrevues dans leurs poèmes. Encore chez les troubadours, composant à un moment déterminé de leur vie, la diversité des poèmes pouvait-elle rejoindre par quelque côté les états d'âme du poète. Les choses sont différentes avec notre récit allégorique. Tout au plus peut-on envisager, à titre d'hypothèse, un changement d'humeur entre le bel enthousiasme du début et l'apparente « dépression » de l'épisode sur lequel il s'interrompt, changement qui a peut-être perturbé le projet de l'auteur, qui arrête en tout cas son personnage à un moment critique de son histoire.

Mais la magie du miroir est ambiguë. Elle peut révéler ce qui se cache, elle peut aussi décevoir. Le narrateur le dit : « Cil miroërs m'a deceü », ce miroir m'a trompé, et il ajoute que s'il avait connu son pouvoir, il ne se serait pas laissé prendre. Ceci laisse deviner une certaine distance du narrateur par rapport à sa propre aventure. Et pour apprécier cette attitude, qui peut passer, à la première lecture, comme une simple boutade d'amoureux éprouvé par ses souffrances, il faut encore revenir sur ce sujet de l'allégorie. Car récemment un critique a prétendu que nous avions affaire à un récit ironique. L'idée n'est pas absurde, et nombre de ces *visions* allégoriques de la tradition médiévale ont, en effet, été mises au service d'une satire morale des vices. Si toutefois le continuateur Jean de Meun a pu trouver dans ce texte une provocation à l'ironie, les ambiguïtés de Guillaume de Lorris ne peuvent s'expliquer, ni pour le style, ni pour l'idéologie, par la même intention. Il faut bien dire que la critique moderne est toujours gênée pour interpréter le détachement qu'elle croit voir entre l'auteur et son personnage. D'où une tendance inquiétante, surtout à l'étranger, à voir partout de l'ironie : ironique, Chrétien de Troyes dans *Cligès* et même *Perceval*, ironique la *Chanson de Guillaume*, ironique enfin notre *Roman de la Rose*. Mais l'ironie est une chose, le sourire autre chose. On a justement étudié avec finesse les mille nuances de ce sourire littéraire au Moyen Age. Or il faut remarquer que l'allégorie, plus qu'aucun autre procédé littéraire, favorise l'humour léger. Cela tient à l'indétermination du personnage central, qui n'est ni le héros objectif du roman traditionnel, ni la présence subjective du lyrisme. L'auteur est là, quelque part, comme un *producteur* de film ; un personnage raconte ce qu'il fait, ce qu'il devient, mais il évolue au milieu de créatures imaginaires : il a rêvé, il raconte ce qu'il croit avoir rêvé. A aucun moment nous ne pouvons affirmer que l'auteur se donne en exemple. Nous savons bien que nous avons affaire à une fiction, à une fabrication poétique, à un montage qui utilise toutes les ressources de la rhétorique.

Quelle est alors la vérité, si solennellement annoncée, de cette fiction? Certainement pas celle d'un *moi-sujet* qui se confondrait avec la personne de l'auteur. Il y a bien ici un sujet qui se compose en se racontant, mais c'est un sujet élargi à la totalité du monde évoqué, au point que même l'*autre*, la partenaire de l'histoire, fait partie de ce *moi* grâce au jeu des personnifications métonymiques. C'est aussi un sujet général, qui fait de cette histoire l'histoire de tout amoureux courtois. Mais c'est surtout un sujet possédé, totalement livré aux forces qui le traversent, un sujet en métamorphose. L'important, la vérité, la *signifiance* du récit, c'est la métamorphose. C'est dans cette direction qu'agissent les procédés de l'allégorie. C'est dans cette intention que le narrateur compose un conte merveilleux. C'est dans cette création que la figuration médiévale de l'amour reprend à son compte la tradition mythique. L'histoire psychologique, enrobée dans le conte merveilleux, n'est pas encore le sens caché de l'œuvre. Elle ne peut fournir qu'une étape à notre interprétation.

3 L'ART D'AMOUR

Ce est li Romanz de la Rose
ou l'art d'Amors est tote enclose

LE récit de ce singulier roman prétend envelopper un certain savoir, un *art* que l'auteur cherche à nous communiquer, mais par le détour de l'allégorie. C'est nous inviter à nous interroger sur les éventuelles allusions, sur la référence philosophique de ce texte. Mais pourquoi cette double enveloppe, ce double voile du songe et de l'allégorie? C'est que l'œuvre n'est pas un traité, un discours dogmatique et pratique exposant clairement une science, c'est-à-dire, dans la perspective de l'époque, à la fois une doctrine et une technique. L'œuvre répond à une question qui n'attend pas une réponse purement logique. Le jeu du songe et, dans cette fiction, le jeu de l'allégorie, artifice au second degré, rendent possibles toutes sortes d'interférences. Malgré tout ce qu'on a dit sur l'intellectualisme de l'allégorie, sur sa servitude didactique, sa présence ne s'explique que par une certaine méfiance, une certaine déception devant le *logos* de la pure raison. Le rêve est à l'écoute, attentif aux paroles de l'ombre et de la nuit. Ou plutôt il est le théâtre où viennent jouer les figurants des forces obscures qui se disputent nos pensées, et d'abord, évidemment, les désirs, mais aussi leurs forces antagonistes, craintes, censures, vertiges du désespoir et de la mort. Et l'allégorie est la mise en scène de ce conflit entre les désirs et les craintes, sa fragmentation même donnant une plus fidèle image

de leur affrontement que le drame de deux protagonistes humains, où l'on ne percevrait que les apparences, la résultante des forces instinctives. L'allégorie,
prêtant à l'écrivain les ressources du langage figuratif,
lui permet de dire, autrement, autre chose que le
théoricien ou le technicien. Que ce langage soit plus
« primitif », plus naïf que notre langage scientifique,
c'est une constatation dont il faut savoir tirer toutes
les conséquences pour interpréter la littérature rangée
sous la catégorie trompeuse du *didactisme*. Le rôle
de l'image dans l'expression et la communication est
bien plus ambigu que celui des concepts. Le songe
allégorique se présente à nous comme un long picto-
gramme, un objet fabriqué, figuré, signe synthétique
de plusieurs vérités qui se recouvrent ou se recoupent.
Parmi ces vérités, il y a naturellement celles que
l'idéologie officielle suggère à l'auteur de dire et
d'enseigner. Mais il y en a d'autres, dont on pressent
qu'elles viennent d'une expérience, d'une mémoire,
peut-être même d'un inconscient qui ne trouvent pas
dans les discours traditionnels du didactisme l'occasion
ni même le droit de se manifester. L'œuvre littéraire,
ainsi fabriquée à partir d'un complexe réseau d'images,
ne fonctionne pas comme une machine à informer qui
communiquerait au lecteur l'information déposée par
l'auteur. Elle est proposée comme un rébus, un tableau
complexe, et s'adresse à ce type de pensée humaine qui
déborde toujours les signes sur lesquels elle se fonde.

Toutefois il ne s'agit pas d'une icône muette devant
laquelle la méditation surgit imprévisible. L'auteur
a son projet, son programme, qu'il désigne par les
termes : *art d'amour*. Nous voilà orientés dans une
direction assez précise. L'expression fait d'abord
penser à Ovide, dont l'*Ars amatoria* était en français
désignée par ces mêmes mots, notamment chez Chrétien de Troyes qui affirmait en avoir donné une version
en « roman ». Ovide est l'écrivain latin qui a exercé
la plus grande influence sur la littérature française
du Moyen Age. Encore faut-il comprendre comment et

pourquoi. C'est le mythe érotique qui semble avoir fasciné l'humanité médiévale dans sa recherche d'un sens à donner à la vie : fascination pour le secret, l'interdit, le « refoulé », mais avec toutes les ruses dont l'intelligence humaine est capable pour justifier sa curiosité aux regards de la censure morale. Nul doute que la leçon d'Ovide ne soit en effet libertine. Il entend prodiguer des conseils pratiques aux jeunes gens et aux jeunes femmes avides de plaisir. L'art de séduire est prodigué avec un cynisme détendu et souriant, flattant les divers fantasmes du désir. L'*art* dont il est question doit être entendu comme une technique, comparée par l'auteur à celle de la navigation ou de la conduite des chars. Instruit par la pratique, il veut faire profiter ses lecteurs de son expérience : « Usus opus movet hoc; vati parete merito. » Les anecdotes mythologiques se mêlent aux allusions grivoises dont la société contemporaine fait les frais; la tradition élégiaque des *Amours* débouche sur le sourire complice du libertin.

Ce genre de rêverie érotique ne peut se confondre avec le songe de Guillaume de Lorris. Mais la littérature médiévale en latin a pu servir de relais. Le *De Amore* d'André le Chapelain est aussi connu de Guillaume : il y a trouvé notamment une description du jardin de Deduit *(Amoenitas)*. Lui doit-il aussi une doctrine amoureuse? On cite toujours ce *De Amore* comme le texte canonique de la *fine amour*. En fait c'est l'œuvre d'un maniaque de la classification beaucoup plus que d'un théoricien de l'érotisme courtois. Il essaie de mettre de l'ordre dans les mœurs amoureuses en fonction des manières qui conviennent à chaque condition sociale. Le résultat est assez surprenant : toute l'expérience amoureuse réduite à de belles sentences, à une codification minutieuse de la conversation. Un tel délire de dialecticien ne ressemble pas non plus, pour l'essentiel, au rêve de Guillaume.

Son *art d'Amour*, s'il faut lui chercher une origine littéraire, doit davantage aux poèmes lyriques dont il retient les thèmes, les sentiments, les idées pour les systématiser, les organiser; non pas selon la stratification scolastique et sociologique d'un André le Chapelain, mais selon l'ordre vécu du désir. Authentique dévoilement de l'érotisme qui ne se manifeste que d'une manière partielle et discontinue dans les poèmes des trouvères, le *Roman de la Rose* nous donne la quintessence du *corpus* lyrique.

Érotisme, mais aussi ésotérisme, car cet *art* est conçu et communiqué, comme le serait le secret des métiers, des ateliers, des officines : discrètement, dans la relation intime et privilégiée de maître à apprenti. Un *art*, au Moyen Age, ce n'est pas un savoir que l'on divulgue aux masses, c'est un savoir-faire dont on transmet la recette au disciple choisi. La *théorie* n'est pas le cœur d'un tel enseignement. Elle intervient, bien sûr, mais comme un éclairage marginal de la pratique, commentaire qui reste hypothétique d'une habileté garantie par la réussite des générations qui se sont succédées à l'ouvrage. Le montage allégorique sert à résoudre la contradiction d'un tel projet de communication restreinte, sa difficulté même tendant à éliminer ou à tromper les lecteurs vulgaires, indignes de connaître la vérité. La rhétorique de l'œuvre est donc en accord avec son contenu; le lecteur auquel elle s'adresse ressemblera au personnage de l'aventure. Et comme celui-ci est supposé être l'auteur, on peut dire que l'œuvre tend à se refermer sur elle-même, dans une assimilation qui en restreint l'audience : auteur, amoureux, lecteur tendent à se confondre. Le fonctionnement de la littérature, le type de communication qu'elle établit, dépend de la nature de son message. Le narcissisme de ce premier *Roman de la Rose* risque de l'empêcher de jouer un rôle éducateur, celui d'un enseignement universitaire. Jean de Meun cherchera à ouvrir cette fonction littéraire et à proposer une véritable éducation. Ce que Guillaume de Lorris a composé, c'est une œuvre d'*initiation*.

Initiation donc, mais dans la fiction littéraire. Il

arrive à la critique d'être dupe de son propre commentaire, et d'oublier que la littérature est *jeu :* il serait naïf de croire que le *Roman de la Rose* est le rituel de quelque culte magique, qu'il transmet la doctrine, le mythe archaïque de quelque société secrète. Il nous donne l'image d'une initiation amoureuse, et non l'initiation même, comme *l'Éducation sentimentale* de Flaubert nous donnera la métaphore d'une éducation. Il faut donc mettre en perspective les structures mythiques que nous croyons reconnaître, et tenir compte du jeu littéraire pour interpréter le recours, qui n'est pas un authentique retour, aux formes archétypales, primitives, d'imagination. Pour faire deviner ce qu'il croit être le mystère de l'amour, Guillaume de Lorris emprunte les formes, les signes, les idées qui ont caractérisé d'anciens rites. Avant de nous interroger sur l'origine consciente ou inconsciente d'un tel emprunt, cherchons à en préciser les apparences.

L'aventure du narrateur, aventure rêvée, suit une progression typique des schémas d'initiation, c'est-à-dire un itinéraire susceptible de prendre une valeur rituelle. L'accent est mis d'abord sur la saison de l'événement (ici le printemps dont on note tous les indices). Le jeune homme se prépare avec soin, cousant lui-même ses manches d'un fil croisé, à la mode des élégants. Suivant un cours d'eau, il s'arrête pour se laver le visage. Bien qu'à leur place dans l'emploi du temps d'une journée banale, les deux thèmes de l'habillement et des ablutions pourront s'intégrer au scénario initiatique (préparation du néophyte, eau lustrale). Mais ce scénario apparaît plus nettement avec l'enceinte qui semble circonscrire un espace interdit, les images peintes sur le mur représentant diverses causes d'exclusion. Le jeune homme cherche, en tournant autour, « acernant la compasseüre », une entrée. Il finit par la trouver : c'est une porte étroite et fermée, un « huisset mout bien serré... petitet et estroit ». Il est introduit dans l'espace clos, le lieu secret de la joie. A l'intérieur de ce verger tout planté d'arbres venus d'Orient (« Alexandrins »), le néophyte se sent déjà transformé, transporté de joie. La musique qu'il entend (le chant des oiseaux) lui fait penser aux anges du ciel et aux sirènes de la mer. Cette première musique, spirituelle ou magique, lui donne envie d'aller plus loin et, par une allée bordée de fenouil et de menthe, il arrive à la fête où il entend une autre musique, celle de Liesse qui chante des caroles, avec toutes sortes d'instruments pour accompagner la danse. L'ordre de la description, qui peut d'abord passer pour un simple reportage sur la vie mondaine, est au fond assez rigoureux pour correspondre à une progression rituelle. La carole fait se succéder des couples parmi lesquels celui d'Amour et de Beauté, le narrateur nous le laisse entendre, est le plus chargé de sens. Mais la visite se poursuit vers le centre de l'enceinte, au sanctuaire figuré ici par la source sous le pin, l'arbre le plus haut du verger; on le trouve, dans d'autres civilisations, associé à divers cultes en raison sans doute de son feuillage toujours vert, symbole d'éternité. La source, aussi, est intarissable, nous dit-on. Plusieurs autres éléments confirment le caractère sacré de ces parages. D'abord la pierre de marbre sur laquelle est fait allusion à la mort de Narcisse. Ensuite la magie dont la source offre le spectacle à celui qui se penche sur elle, avec ses cristaux qui en font un miroir révélateur de toute la réalité environnante. La graine d'Amour qui y est semée. Enfin et surtout l'épisode décisif : l'apparition des rosiers, la révélation du beau bouton de rose. Jusqu'ici, en effet, l'aventure s'est déroulée comme une découverte, une révélation progressive. La première partie de l'initiation est terminée. Elle culmine en une vision qui fascine, ravit, plus qu'elle n'instruit.

La seconde partie est de structure plus dramatique. Elle a pour thème essentiel la poursuite du néophyte par Amour, en une sorte de chasse impitoyable. L'accent est mis sur les blessures que reçoit l'amoureux, comme dans les rites barbares d'initiation. Il perd connaissance après la première blessure comme s'il avait perdu son sang, mais la plaie faite au cœur est sèche. Nouvelle pâmoison après la troisième flèche, sous un olivier. Il perd encore connaissance après la quatrième, trois fois de suite. Mais la cinquième flèche, tranchante comme un rasoir, adoucit ses blessures par une magique chirurgie. Dans tout ce passage on reconnaît sans difficulté les deux thèmes initiatiques de la blessure et de la mort symboliques. Valeur rituelle que confirme ensuite le cérémonial de l'engagement qui lie le néophyte à son Dieu et seigneur : le don de soi est scellé par le baiser sur la bouche et par le geste qui ferme le cœur d'une petite clef d'or. Cet engagement fait l'objet d'un contrat explicite, dont les termes sont dictés sous la forme d'un décalogue. Et la phase essentielle de la cérémonie va se terminer par des avertissements solennels et des conseils qui doivent armer le jeune homme en vue des épreuves à venir.

La troisième partie de l'aventure peut encore être intégrée à un scénario initiatique : c'est la quête manquée de la rose, avec une série d'épreuves culminant dans l'apparition de l'obstacle figuré par le château-prison. Au début de cet épisode l'amoureux se trouve devant une clôture, la haie qui le sépare des rosiers. Tous ses efforts vont tendre à passer outre. Mais aux difficultés que lui opposaient « épines tranchantes et aiguës, orties et ronces crochues », au moment où il allait être atteint par les flèches, se sont substitués des personnages hostiles, et en particulier Danger, le gardien à l'apparence de monstre : « Il était grand et noir et hérissé, il avait les yeux rouges comme le feu, le nez ridé, le visage hideux. » A ce monstre, qu'il faudra vaincre ou tromper, sont associées les autres créatures qui font penser à des furies : Honte, Male Bouche, Peur et surtout Jalousie. C'est en effet celle-ci qui commande aux autres et qui fait construire le château, sorte de labyrinthe qui sert de prison.

On sait que le héros, à la fin du récit, se lamente de ne pouvoir délivrer Bel Acueil : il semble victime d'une malédiction.

Les grandes lignes de cette aventure peuvent donc être interprétées comme une structure initiatique, esquisse d'un rite de passage tel que les ethnologues nous ont appris à le reconnaître dans les cultures les plus diverses. Au Moyen Age même on en trouve bien d'autres expressions littéraires, en particulier dans le *Conte du Graal* de Chrétien de Troyes. Encore cette structure du récit est-elle d'une trop grande généralité pour nous donner un sens. L'indication n'est valable que si elle est associée à d'autres éléments mythiques offrant un code pour le déchiffrage. Divers signes nous sont apparus, chemin faisant, constituant une sorte de système hétéroclite. Il ne faut pas nous attendre à rencontrer, chez un clerc du xiiie siècle, une tradition mythique homogène. Si l'on a recours à l'allégorie, c'est justement pour reconstruire un édifice cohérent avec des vestiges de plusieurs origines culturelles. Néanmoins, c'est avec les mythes connus par la littérature gréco-latine que l'on trouve le plus d'analogies, et même de filiations. Faut-il s'en étonner s'il est vrai que la littérature médiévale n'a jamais cessé d'être en contact plus ou moins direct avec la littérature antique? Cupidon, Vénus et Narcisse jouent, dans notre histoire, un rôle essentiel. Guillaume de Lorris savait, n'en doutons pas, interpréter ces figures mythologiques dans le sens d'une herméneutique, même si le long usage qu'en ont fait les auteurs anciens ou médiévaux en avait affaibli la valeur. En leur associant des symboles et des emblèmes de signification plus générale, parce que fondée sur l'organisation des sensations et de l'imagination humaines, Guillaume de Lorris rajeunit et précise le rôle de ces créatures mythiques.

La morphologie de ce code mythique est fondée sur la relation établie, à travers le narrateur et par le thème de la quête, entre le dieu d'Amour et la rose.

L'un dérive de l'Érôs grec, dont Cupidon est le reflet latin, habituellement nommé par Ovide : *Amor*. Le symbole de la rose, sans être inconnu de la mythologie antique, doit ici son importance exceptionnelle à une tradition différente, dont on retrouve la trace dans l'Orient ancien (la Perse, notamment); l'usage qu'en a fait l'Église chrétienne, jusque dans l'architecture gothique, n'exclut pas le sentiment de merveille et de mystère qui s'est attaché, au cours des siècles, à la perfection de ses formes. En associant ce signe ésotérique de la beauté à la figure manifeste d'Amour, Guillaume de Lorris retrouve peut-être la logique de la religion antique, dont la partie occulte, celle qui faisait l'objet des grands Mystères, a pu comporter une révélation sur le principe même de la vie : la rose ne cache-t-elle pas, sous ses voiles superposés, la « graine » dont notre amoureux se félicite, un instant, qu'elle soit encore dissimulée par les pétales (v. 3347-48)? Quoi qu'il en soit, notre récit traite à sa manière le mythe du désir, insistant sur son objet (la rose) plus que ne le font habituellement les histoires mythologiques, mais non sans retrouver ainsi la philosophie de la beauté, le « platonisme » dont le Moyen Age n'a pas perdu la tentation.

L'histoire de Narcisse, qui nous est résumée avec une assez grande exactitude, constitue l'emprunt le plus direct à la mythologie. C'est aussi le récit le mieux expliqué : on y voit le châtiment de celui qui a dédaigné la beauté d'Écho, refusant de se soumettre à la loi d'Amour. On sait que chez les Grecs il représentait Antérôs. Sa mort sonne comme un avertissement au néophyte, une mise en garde contre la faute, la perversion qui fait s'éprendre de sa propre beauté, impasse d'un désir stérile qui se referme sur lui-même et peut conduire à l'homosexualité, dans la recherche érotique du *double*, de l'image réfléchie par le miroir. Le symbole floral a souligné ce conflit : le narcisse blanc s'oppose à la rose (de couleur vermeille dans notre texte).

Le *Roman de la Rose* joue avec tous les registres du lyrisme amoureux; en ce sens son *art d'amour* est d'abord un art poétique (comme les *Leys d'Amour* des troubadours). Guillaume de Lorris est d'abord un théoricien de la littérature, de la poésie telles qu'on les conçoit à son époque dans un certain milieu, disons, courtois. Cependant, l'histoire de Narcisse nous le fait comprendre, il ne s'agit pas d'un jeu purement formel avec les thèmes et les motifs, avec les registres et le lexique, avec la rhétorique des trouvères. L'allégorie se présente comme une doctrine, elle explicite l'idéologie qui reste hypothétique, fragmentaire, en tout cas entièrement formalisée chez les poètes lyriques. On peut voir en effet le *Roman de la Rose* rassembler les divers éléments de la tradition, les ranger en deux séries opposées rigoureusement, ébauchant une vision épique de l'amour, mais surtout une interprétation philosophique du désir. L'aspect positif, que traduisent les signes agréables de la description et de la narration, se rattache à toutes les manifestations de la beauté. Du début de la promenade printanière jusqu'à l'apparition du bouton de rose, nous assistons à une concentration progressive des sensations. L'attirail magique de la fontaine amoureuse nous montre que, pour l'auteur, le mirage de la beauté se confond avec une certaine image de la vérité. L'aspect négatif du désir tient aux obstacles qu'il rencontre et aux souffrances qu'il provoque. Le roman systématise les images pour leur donner plus de cohérence logique : chardons, épines, flèches sont autant d'allusions aux aspects douloureux de l'amour. Les personnifications dramatiques voient aussi leur rôle expliqué. Derrière le type du *losengier* une cohorte d'entités morales vient figurer plus précisément les mauvaises influences, hostiles au succès de l'amoureux. Mais Guillaume de Lorris ne se contente pas d'une mise en place superficielle : la disposition des personnifications prend ainsi une valeur symbolique lorsqu'elles montent la garde aux portes du château-piège. Ces portes sont réparties selon un plan qui dessine une croix dans le carré des remparts : à l'est, direction de l'espérance, Danger bloque l'entrée; au nord, Peur; à l'ouest, Male Bouche; au sud, Honte. L'allégorie semble nous inviter à réfléchir sur l'ordonnance de cette contre-Église. Ici la typologie chrétienne voit sa signification inversée. On reconnaît le château de l'âme, protection contre les tentations : il est devenu prison, le narrateur ayant pris le parti des tentations comme il a pris celui d'Oiseuse. Mais il ne fait qu'expliciter l'opposition de l'idéologie érotique à l'idéologie chrétienne, opposition masquée chez les trouvères, mais qui est dans la logique des choses. D'autres références peuvent expliquer çà et là la fonction des personnages. Ainsi Danger a été comparé à Caron, le passeur des Enfers, tel qu'il est décrit dans l'*Énéas*. Il a aussi l'apparence des monstres antiques, sorte de Minotaure, gardien du jardin.

Que penser de l'orientation idéologique de Guillaume de Lorris? Il est peu probable que son livre cherche à enseigner une doctrine précise, une véritable tradition occulte. Reste qu'il tend à souligner les mystères de l'amour et cherche à les expliquer. Il ne semble pas croire que la vérité de l'amour soit d'ordre rationnel et logique, ce qui l'amène à reproduire artificiellement l'atmosphère merveilleuse du mythe, en particulier en donnant à ses idées sur l'amour l'apparence d'une initiation. On remarque en effet que ces idées se présentent dans l'ordre d'une révélation progressive associée à une expérience : le savoir est acquis, non par un effort de la seule intelligence, mais par un apprentissage de l'être tout entier. L'initiation mime le savoir, elle l'inscrit dans le corps, au lieu de l'expliquer logiquement. D'autre part elle doit étaler dans le temps et dans l'espace ce que la raison comprend par relation. Ainsi le *Roman de la Rose* doit faire passer l'amoureux par des états de joie et de tristesse, de plaisir et de peine, pour faire comprendre les oppositions affectives provoquées par le désir. On peut donc dire que ce roman a une structure mythique parce qu'il raconte une succession de changements vécus par le patient, une métamorphose. Comme dans un mythe la série des épreuves fait comprendre les implications des différents contrats. Structure musicale, pourrait-on dire : la phrase rythmique développant les accords de base serait ici représentée par l'aventure qui développe les relations fondamentales résumant la doctrine. Il nous faut donc chercher ces relations, ces accords dissimulés dans la trame chronologique du roman.

Le premier état est celui qui associe le jeu et la joie dans ce qu'on pourrait appeler un désir de plaisir encore vague et indifférencié. La reverdie du printemps, le chant des oiseaux, le spectacle des fleurs, leur parfum, la course des animaux sauvages en constituent la thématique naturelle. La courtoisie et les belles manières mondaines, les chansons et les danses de la société distinguée, l'enlacement des couples, d'abord dans la carole, puis plus intimement sur l'herbe, précisent, sur le plan social, les conditions de ce plaisir. Elles se résument dans le jeu de la danse qui joint Liesse à Deduit. Mais pour le moment on s'en tient à cette vue du bonheur que donne la fête mondaine. Étape illustrée par les baisers innocents qu'échangent les deux demoiselles dansant sous la direction de Deduit.

C'est au cours de cette fête, dans ce jardin de jeu (construit par Deduit), qu'est apparu pour la première fois le couple Amour-Beauté. Leur rapport va fournir le thème du second état de l'initiation, illustré par l'épisode de la fontaine. La vision de la rose dans le miroir de l'eau, la blessure des flèches dont la première s'appelle Beauté, transforment le désir de plaisir en amour de la beauté. En même temps le symbole de l'eau et l'histoire de Narcisse ont suggéré les rapports de la beauté et de la mort, tandis que l'emblème des flèches a fait apparaître l'aspect douloureux du désir amoureux. On est frappé par le caractère plutôt sombre de la philosophie qui se dessine alors. Les idées de vie et de fécondité, qu'on s'attend à trouver là, et que le décor de la source et de l'arbre éternel aurait pu soutenir, restent très effacées, repoussées à l'arrière-plan. Cette phase qui déjà met l'accent sur le revers de l'amour prépare la mélancolie de la fin. Ainsi, après l'accord joyeux du début, de mode majeur pour ainsi dire, va retentir un accord triste, sur un mode mineur, associant au désir de l'impossible le désespoir de l'amant.

D'autres accords intermédiaires sont à relever, avant d'en arriver à cette « cadence finale ». Ainsi le service amoureux se définit, sous la dictée du dieu, comme soumission, abnégation et fidélité. L'épisode de l'hommage et les enseignements donnés ensuite interprètent l'amour comme une sorte de foi, tandis que le désir s'estompe ; la douleur y prend le pas sur le plaisir. Ce changement va être illustré par la suite dramatique du récit, qui concrétise les interdits frappant le désir, et analyse en détail les contraintes auxquelles l'amoureux doit se soumettre. Dans la nouvelle formule on note le rôle joué par Jalousie : associée à d'autres sentiments plus tolérables (Honte et Peur, équivalent sans doute de la timidité), elle pousse l'amoureux dans une impasse. Cette chute dans l'enfer de la mélancolie n'est pas définitive. Le discours d'Amour nous a bien dit que c'était une épreuve à surmonter, avec le secours d'Espérance : puisque l'amour est foi, l'espérance dans l'adversité est la vertu « théologale » de l'amoureux. Ainsi la phase douloureuse qu'il traverse doit être comprise comme une vicissitude du conflit qui oppose Bel Acueil à Danger. Le règne de Danger pourra être suivi d'un renversement, rendant à Bel Acueil le pouvoir de conduire l'amoureux à un bonheur bien mérité.

Cette succession de phases contrastées ressemble à la structure des récits mythiques. Elle peut refléter, sur le plan de la narration, les rites de « passage », dont les initiations tribales, aujourd'hui étudiées par les ethnologues, nous donnent encore l'exemple, mais qui ont pu être pratiqués aussi dans d'autres civilisations, notamment dans l'antiquité. Au fond l'*art d'amour* nous enseignerait les rites qui font passer le jeune homme d'un état de pure disponibilité à l'état d'amoureux éprouvé et consacré. Il nous appartiendrait, alors, de situer ce texte rituel dans un contexte culturel pour en comprendre la signification doctrinale ou métaphorique.

Les rites d'initiation accompagnent, généralement, soit le passage de l'enfance à la puberté, soit l'intégration à une société restreinte, soit l'accès à quelque pouvoir surnaturel. Mais dans la pratique littéraire de ces mythes la distinction s'estompe, et c'est une combinaison des trois passages qui justement séduit l'imagination des hommes parce qu'elle ramène à l'unité la diversité des changements que la vie, la société et la religion exigent de nous. Une telle présentation de la destinée humaine, si elle garde quelque valeur nostalgique pour le public moderne, était encore plus expressive pour le lecteur du xiiie siècle. Les rites de la chevalerie sont la preuve que ces structures mythiques continuent d'inspirer l'invention et la pratique des cérémonies non seulement religieuses, mais militaires. L'*art d'amour* de Guillaume de Lorris apparaît donc comme construit sur un rituel, non pas authentique, mais parfaitement vraisemblable et significatif pour ses contemporains.

L'initiation amoureuse s'adresse à un tout jeune homme; elle représente le passage à la condition d'adulte, et répond à la nécessité d'enseigner ce que l'instinct ne nous suggère pas clairement, les secrets de la vie sexuelle. A cet égard les choses ne vont pas très loin chez Guillaume de Lorris; aucun signe, aucune image n'y donne l'équivalent d'une éducation sexuelle. Un épisode assez explicite concerne l'art du baiser. On y apprend qu'il y faut le secours de Vénus, de la sensualité féminine, et que celle-ci est éveillée par les lèvres vermeilles, les dents blanches et nettes, la douce

79

haleine de l'amoureux. L'effet produit par le baiser
sur le jeune homme est attribué à la douce odeur de
la rose; il est transporté d'aise; son seul souvenir lui
assurera mainte joie, même au milieu des souffrances.
Si la sensualité du baiser est ainsi célébrée sans réticence, il n'est pas certain que Guillaume de Lorris
ait eu l'intention de nous exposer, avec d'autres jeux
d'amour qu'il annonce, une technique sexuelle très
précise. En tout cas Jean de Meun est intervenu pour
répondre à l'attente déçue des lecteurs : avec lui
l'initiation sexuelle sera poussée jusqu'à son terme
naturel. Tel ne semblait pas le principal souci de son
prédécesseur.

C'est plutôt l'intégration à une société que notre
roman nous propose avec l'initiation amoureuse. Nous
relevons, d'abord, de nombreuses indications qui
définissent un milieu fermé où l'amoureux est progressivement, solennellement accueilli. Mais de quel
milieu s'agit-il? Un ordre chevaleresque? la cour?
une confrérie de type religieux? La première hypothèse est exclue, en l'absence de toute référence à
l'idéal guerrier. Une brève allusion aux exercices
physiques qu'Amour souhaite voir pratiqués par le
jeune homme s'applique plus généralement à la vie
aristocratique. Et c'est en effet à l'institution de la
cour, comme milieu aristocratique, que semblent
correspondre la plupart des images et des rites qui
nous sont rapportés. Le *Roman de la Rose* ne cherche-
t-il pas à fonder plus solidement que jamais l'idéal de
la *fine amor* sur cette structure sociale qui va désormais
jouer un rôle prépondérant dans la vie économique
et politique du royaume? Il est vrai que l'expression
amour courtois, largement utilisée par la critique
moderne, admet par hypothèse la conjonction de
l'érotique héritée des troubadours avec la réalité de la
vie de cour. Depuis Chrétien de Troyes, en effet, le
raffinement de l'amour est associé au raffinement des
mœurs aristocratiques, à la recherche de la politesse
et de l'élégance, en particulier à la cour de Champagne

et à celle de Blois, chez les filles d'Aliénor d'Aquitaine. André le Chapelain a donné dans son *De Amore* une théorie rigoureuse et figée de pratiques amoureuses confondues avec les bonnes manières. Mais nulle part n'apparaît ici l'expression *amour courtois* pour attester que nous avons affaire à une idéologie parfaitement consciente et acceptée. On peut admettre que Guillaume de Lorris intervient au bon moment pour faire progresser les idées dans cette direction. Il reprend les tentatives littéraires et doctrinales de ses devanciers, il les systématise et surtout, par le biais de l'allégorie poétique, il fait apparaître, comme dans un récit mythique, l'étroite conjonction de l'institution sociale et de la loi morale qui contrôle le désir amoureux. Au moment où le monde aristocratique doit justifier à ses propres yeux certaines pratiques et certains privilèges, l'œuvre littéraire intervient pour faire désirer les nouvelles lois.

Cette nouveauté peut nous échapper, avec le recul des temps. Elle apparaît mieux si l'on considère l'écart entre les principes formulés, directement ou allégoriquement, et le système des valeurs cléricales auxquelles on se réfère. Ainsi le système des vices et des vertus, figuré par les images peintes sur le mur et les danseuses du verger, ne recouvre qu'en partie la moralité traditionnelle. Parmi les exclusions et les interdits représentés par les images, on relève la condamnation de Vieillesse, Tristesse et Pauvreté. Admettons que les deux premières s'expliquent parce qu'il s'agit d'une société amoureuse; la troisième trahit un préjugé plus profond. Ces exclusions ont leur réplique positive, puisque nous rencontrons, parmi les couples du verger, Jeunesse, Liesse et Richesse. Ce sont là, au fond, trois aspects de la valeur vers laquelle tendent tous les efforts de cette classe sociale qui se voue à l'idéal aristocratique du *meilleur*. Il peut paraître naïf de vouloir la jeunesse, illusoire de réclamer la joie, injuste de prétendre à la richesse. Mais cette idéologie rejoint, il faut bien dire, les secrets désirs de la condition humaine. L'audace de l'aristocratie est de la proclamer : l'histoire de la cour est pleine d'exemples d'enfantillages, de fêtes et de largesses. Au reste, même les vices et les vertus qui relèvent plus directement de la doctrine morale sont retenus en fonction d'un choix social. L'orgueil est l'écueil majeur de l'aristocratie. La haine, la convoitise, l'avarice, l'envie sèment la discorde en menaçant les privilèges acquis. La félonie et l'hypocrisie sont particulièrement graves dans une société féodale, fondée sur le respect de la parole donnée. La vie de cour a besoin que règnent les principes de générosité, de largesse et de fidélité. Aux mauvais instincts des vilains s'oppose ainsi la *franchise* des nobles. On voit dans quel sens va le raffinement de l'amour : les critères sont définis d'après une certaine idée que l'on se fait de la vie sociale.

Les mêmes valeurs réapparaissent dans la définition plus précise du désir érotique, par exemple dans l'énumération des flèches d'Amour, les unes noires et néfastes, les autres dorées et favorables à la séduction par la beauté féminine. Funeste la flèche Vilainie « toute teinte de félonie ». Efficace la flèche Franchise, toute « empenée de courtoisie ». Plus explicite encore le décalogue dicté par Amour. Il faut éviter : vilainie, médisance, grossièreté, orgueil et négligence corporelle. Il faut cultiver : courtoisie, respect des dames, élégance, joie et largesse. La condamnation de la vilainie, presque tautologique, puisque c'est l'antithèse de la noblesse, revient avec une insistance notable (Amour exclut formellement les vilains, la classe sociale des « porchers », de son hommage). Une grande importance est attachée aussi aux bonnes manières, mais avec pour souci principal de modeler l'apparence humaine pour satisfaire aux exigences de la beauté, pour donner plus de séduction au jeune homme. L'habillement, les soins d'hygiène, le développement des aptitudes physiques et des dons artistiques donneront, certes, plus de chance au jeune homme de parvenir à ses fins amoureuses; mais en même temps cette éducation assurera à la vie sociale une qualité, un rayonnement qui donnent son sens à l'institution de la cour.

C'est donc bien une certaine idéologie sociale qui infléchit la moralité traditionnelle et dicte les recettes de l'amour. Aristocratique et mondaine à la fois, confondant l'éthique et l'esthétique, les marques de la richesse avec les signes de la beauté, les belles manières avec la pureté, la cour se veut le lieu du plaisir, du jeu et de la fête. Le *Roman de la Rose* nous dit comment la cour se rêve, il nous fait comprendre la réponse qu'elle donne à l'enquête du désir. Ce bal costumé, ces caroles, ces baisers sous les ombrages, c'est l'équivalent médiéval de l'utopie sociale que chaque civilisation réinvente en fonction de ses autres caractères. Que cette utopie soit associée à une doctrine érotique, ce n'est pas pour surprendre le lecteur moderne qui reconnaît aisément, dans les utopies contemporaines, les sophismes dictés par le désir. Mais il faut songer aussi au rôle fondateur du mythe, tel que nous avons appris à le déchiffrer avec les ethnologues. Toujours l'institution sociale se définit à travers un symbolisme sexuel. La raison de toute société n'est-elle pas d'abord de donner une loi aux pulsions de l'instinct sexuel?

Il convient justement d'insister sur la rigueur des interdits, la sévérité de la loi, la difficulté des épreuves qui viennent contrecarrer le désir et le contraindre à une douloureuse discipline. S'il faut une initiation, c'est que le jeune homme ne saurait s'en remettre à l'élan instinctif. Les plaisirs du verger de Deduit donnent l'impression d'une vie facile. En réalité toute la suite du récit est là pour nous montrer les efforts, les sacrifices nécessaires pour servir fidèlement le dieu Amour, représentant mythologique du désir masculin. Comme la plupart de ses contemporains Guillaume de Lorris doit se méfier de la force instinctive. On ne devient homme que par la soumission à la loi du groupe social. Ce que l'*art d'amour* nous enseigne, ce n'est donc pas le secret biologique de la sexualité, mais l'exigence psychologique qui hausse le jeune aristocrate au-dessus du commun des hommes. Car cette discipline rigoureuse est en accord avec le principe aristocratique dans sa pureté idéale : on ne naît pas excellent, on le devient en se surpassant. Ce que l'idéologie guerrière a formulé dans les chansons de geste et les romans de chevalerie, l'idéologie amoureuse l'a défini dans la tradition lyrique telle que les trouvères, émules des troubadours, l'ont interprétée. L'amour y est saisi comme l'occasion de se transformer. Le désir érotique devient désir d'être plus beau, plus glorieux, plus riche, plus cultivé, bref, désir d'être meilleur. D'où la tension, au sein de l'amour même, entre l'appel du plaisir et l'impératif de l'effort, entre le désir brut et la loi subtile.

Faut-il alors parler, dans notre jargon dramatique, de « répression », de « refoulement » du désir ? Il est évident que la formation du jeune homme, son entrée dans le monde de la noblesse ne se font qu'au prix d'une forte inhibition. Mais pour l'homme du xIIIe siècle, cette soumission à la loi n'apparaît nullement comme une agression, comme une atteinte à la nature. Au contraire, ce qui est naturel c'est la loi, alors que l'anarchie des plaisirs détruirait la nature. La discipline, le stoïcisme dont la quête amoureuse est pour ainsi dire l'école ou l'examen probatoire, sont impliqués par l'idée même de la fidélité où se résument toutes les qualités exigées de l'amoureux ... « et pour que tu sois un *fin amant*, je veux et j'ordonne que tu mettes ton cœur en un seul lieu, tout en entier, et non pas à moitié, sans tricherie, car je n'aime pas le partage ». Et Amour insiste sur la nécessité de faire le don de soi à l'aimée sans réserve, sans partage, sans intention de se reprendre. Cette fidélité inconditionnelle, qui est bien dans l'esprit de la féodalité idéale, traduit un choix particulièrement sévère parmi les différentes nuances de l'érotisme littéraire au Moyen Age. Il est clair que nous sommes fort éloignés, avec Guillaume de Lorris, des préoccupations épicuriennes d'Ovide. Mais on prend aussi ses distances par rapport à la sensualité instable de certains troubadours, comme Guillaume d'Aquitaine. Enfin, cet *art d'amour* ne se confond pas non plus avec les tentatives pour institutionaliser l'adultère, dont la littérature romanesque donne une image flatteuse. Le mythe de notre *Roman de la Rose* est à confronter avec celui de *Tristan et Yseut*.

L'histoire de *Tristan et Yseut*, telle que Béroul nous la raconte, est en effet le mythe d'établissement d'un certain type d'amour passionné. Le philtre, qui symbolise la force aveugle de l'instinct, voue les deux amants à une forme de vie errante, régressive par rapport à la cour. Ils doivent se réfugier dans la forêt, vivre de la cueillette et de la chasse. Le jour où cesse l'effet du « lovedrink », Tristan et Yseut reprennent conscience : Yseut regagne la cour et son mari le roi Marc, Tristan pense reprendre sa vie chevaleresque. Et dans la seconde partie du récit on voit s'établir, en toute conscience et liberté, un nouveau type d'amour qui, sans rompre l'ordre de la cour, fait triompher de tous les obstacles une fidélité sentimentale et spirituelle : à l'amour instinctif succède la *fine amour*. Tel est le sens du mythe, ébauché chez Béroul, et dont Thomas retient surtout l'aboutissement. Un romancier comme Chrétien de Troyes hésite sur la signification à lui donner. Il est choqué par le partage que ce type d'amour implique pour la femme aimée : le roi Marc a le corps, Tristan le cœur. Tous ses romans cherchent un meilleur équilibre, la loi d'un amour pur vraiment digne de la cour. Un théoricien comme André le Chapelain ne parvient pas à justifier ce qui reste pour lui, tout compte fait, un péché d'adultère. Il semble que Guillaume de Lorris soit décidé à tirer toutes les conclusions logiques d'une exigence de raffinement diversement interprétée par les poètes. Il ne considère plus ni mariage ni adultère, mais l'absolu de la passion qui doit vouer le cœur d'un homme à la beauté d'une seule femme. Le piège

se referme sur le désir, et la société n'a plus rien à lui
proposer que l'alternative de la soumission ou de la
destruction, celle-ci étant évoquée avec l'histoire de
Narcisse.

Si toutefois notre allégorie doit simplement servir
de mythe d'initiation à la société courtoise, on peut
s'étonner de l'absence de structures sociales concrètes
dans la définition des personnages. A cet égard la
quête de la rose est très peu marquée par les problèmes
familiaux et les sentiments de culpabilité qui s'y
rattachent. Les ennemis comme Male Bouche, Honte,
Peur et même Danger ne mettent pas en jeu des
troubles affectifs profonds; tout au plus traduisent-ils,
surtout chez la jeune fille, le souci du qu'en-dira-t-on :
on reste au niveau des préoccupations mondaines. Le
jeune homme apparaît d'emblée comme libéré de
toute sujétion parentale. Le personnage de Raison
évoque sans doute la figure et les conseils maternels,
mais son autorité ne pèse guère en face du dieu Amour.
Peut-être celui-ci représente-t-il le suzerain dont
l'autorité, dans la pratique féodale, agit beaucoup
sur le destin personnel des jeunes nobles (c'est le
prince qui décide de certains mariages). Mais à l'exception de Jalousie, qui peut avoir quelque rapport avec
les parents de la jeune fille, et de la Vieille qui surveille
Bel Acueil, on peut dire que l'allégorie a fait le vide
affectif autour du désir amoureux. Les valeurs sociales,
dont nous avons souligné l'importance et indiqué la
couleur aristocratique, ne constituent donc pas le
secret de l'art d'amour. Elles nous frappent par leur
cohérence; elles répondent bien à l'idée que nous nous
faisons de la *courtoisie*. Mais en confondant la doctrine
de la *fine amor*, qui s'élabore chez les poètes lyriques,
et l'idéologie *courtoise*, c'est-à-dire de la cour aristocratique, la critique laisse échapper l'aspect le plus
important de l'*art d'amour*, son orientation philosophique. Seule cette orientation peut nous expliquer
le peu d'intérêt de la doctrine pour les aspects concrets
de la vie sociale, pour les relations familiales, pour les

problèmes pratiques, affectifs, institutionnels que posent la construction et l'installation du couple dans toute société. Car ce sont ces problèmes que traitent habituellement, d'une manière plus ou moins directe, les grands mythes sociaux; ce sont eux que prétendent résoudre les mythes d'initiation au groupe. Guillaume de Lorris, comme les poètes lyriques, mais peut-être pour d'autres raisons, en nous proposant l'image de situations plus abstraites, nous laisse dans l'attente d'une autre initiation.

L'inachèvement de l'œuvre masque aux yeux des lecteurs modernes la portée métaphysique de son message. L'intervention de Jean de Meun est, à cet égard, tout à fait logique : poursuivant, nous l'avons dit, l'initiation sexuelle, il construit, en fait, une audacieuse initiation religieuse. Nous reviendrons sur le sens de sa continuation, mais il convient de se demander si Guillaume de Lorris n'a pas laissé des indices de ses propres intentions, s'il n'a pas esquissé une doctrine qui dépasse les préoccupations purement morales et sociales.

Rien ne laisse prévoir, il faut l'admettre, que le jeune homme va acquérir, au terme de ses épreuves, un savoir surnaturel. Cependant il faut relever les signes magiques que côtoie notre néophyte, et qui exercent sur lui leur pouvoir. Ainsi la magie du cristal, ou celle des flèches symbolisant le regard. Ce qui est significatif, c'est la transformation qu'il subit, et qu'il en arrive à vouloir, au prix même de grandes douleurs. Rappelé à la raison, il refuse la sécurité de cette sagesse et préfère vivre l'aventure que lui impose sa fidélité au dieu d'Amour, bien que celui-ci ne lui ait pas dissimulé la sévérité des épreuves à venir. Le schéma fondamental, celui vers lequel convergent tous les symboles, est celui d'une purification, d'un raffinement que le jeune homme doit réaliser dans son corps et dans son âme. Il ne s'agit pas là du conseil pratique dont doit tirer profit un séducteur pour plaire aux dames. Ce n'est pas un moyen pour conquérir, c'est le but lui-même de la quête amoureuse.

Un tel renversement des valeurs peut sembler une interprétation hardie et contestable. Il s'accorde, pourtant, non seulement avec le schématisme de ce récit, mais avec les paradoxes de la poésie lyrique des troubadours et des trouvères, et avec un code symbolique commun à ces poètes et aux spéculations des alchimistes. C'est cette unité d'une certaine imagination érotique médiévale qui mérite de retenir notre attention. De l'alchimie nous connaissons des manifestations très diverses et très confuses. Le principe même d'une pensée fondée sur l'analogie, et tendant à ramener au même ce qui est différent, ne facilite pas l'enquête proprement scientifique. Ajoutons que la curiosité dont elle est l'objet ne s'accompagne pas toujours d'esprit critique. Il est parfaitement établi que sur le thème de la métallurgie, travail des métaux avec le feu qui a transformé la condition des hommes, tout un symbolisme s'est constitué au cours des âges et selon les civilisations (chinoises, indiennes, iraniennes, occidentales, islamiques), exploitant les analogies entre ce travail et la transformation rêvée de l'homme. En ce qui concerne notre civilisation médiévale, plusieurs doctrines ont pu transmettre les thèmes alchimiques. On pense surtout aux savants arabes, dont les travaux ont dû être connus d'abord en Espagne, en Sicile et dans les pays des troubadours. Le célèbre Jabir, qui vécut à Bagdad au viiie siècle, est peut-être le Geber à qui le Moyen Age attribue de nombreux écrits, comme le *Livre des septante*. Quoi qu'il en soit, il existe des traductions en latin de textes arabes qui commencent à circuler en Occident au xiie siècle. Mais ce n'est qu'au xiiie siècle que la diffusion de ces textes devient notable; une chronologie plus précise serait indispensable, notamment pour comprendre la différence des traditions auxquelles Guillaume de Lorris et Jean de Meun ont pu faire des emprunts. L'idée même d'un *art d'amour* peut faire penser à la doctrine de Jabir et des « Frères de la pureté et de la Fidélité ». Selon cette théorie, à la progression matérielle de l'œuvre alchimique correspond une transformation de l'âme. Il s'agit de *purifier*, d'*animer* et d'*exalter* la matière première. Le Moyen Age a traduit ces opérations en se référant aussi aux thèmes religieux (la matière première est « l'Adam », qu'il faut transformer en « corps glorieux », en « Christ »), élaborant une sorte de gnose mystique en marge de la doctrine chrétienne. L'*art suprême*, dit-on, vise à délivrer l'esprit par la matière en délivrant la matière par l'esprit. Quant au rôle de l'amour, il doit se rapporter à la croyance en l'équilibre du monde comme fondé sur les principes de sympathie et d'antipathie : l'art d'amour intervient donc à toutes les étapes de la genèse et de l'exégèse alchimiques.

Il y a rencontre, sinon identité, entre la vision érotique du monde, telle qu'un vague platonisme a pu contribuer à la vulgariser, et la conception ésotérique que l'on devine chez certains alchimistes. Et tout cela concorde assez bien avec la doctrine de la *fine amor* telle qu'on croit la saisir chez les poètes. Derrière le jeu verbal avec les concepts, les troubadours ébauchent une théorie de la transmutation par le désir. Les métaphores du feu et de l'eau, pour traduire la douleur et la douceur, orientent l'interprétation de ce que nous prenons parfois pour du marivaudage vers la compréhension du pouvoir magique de l'amour. Et c'est pour capter, conserver ce pouvoir, que le *fin amant*, au lieu de le gaspiller dans la jouissance immédiate, essaie de prolonger l'état de désir. Sa brûlure est une sorte de cuisson alchimique qui transforme l'instinct brut en sentiment raffiné, qui le *sublimise* pour reprendre un terme de chimie. Par le bénéfice que le *fin amant* peut ainsi tirer de la douleur, cette description fait aussi penser à certains thèmes de l'ascétisme chrétien. Avons-nous donc affaire à un mysticisme hérétique? Les trouvères de France, de Sicile et d'Allemagne ne l'ont pas toujours entendu

ainsi. Certains d'entre eux ramèneront cet érotisme
à un mysticisme plus orthodoxe, dont le culte de la
Vierge tirera parti. D'autres le pervertiront en libertinage. La question qui se pose au lecteur de Guillaume
de Lorris est de savoir dans quelle mesure son œuvre
participe de ces tendances gnostiques qui font l'intérêt
philosophique de l'alchimie médiévale, mais dont celle-
ci n'a pas l'exclusivité.

Car une telle enquête ne saurait aboutir à une lecture
du roman comme un traité de pratique alchimique.
En l'absence d'emblèmes caractéristiques, il est
improbable que l'allégorie nous décrive ici les opérations du Grand Œuvre. Ce qu'il y aurait de commun
avec celles-ci dépendrait plutôt d'un niveau plus
profond d'identité, de ce mysticisme à quoi nous
avons fait allusion. Le symbolisme de la rose appartient, avec le même rôle directeur, à ces différents
codes ésotériques dont nous cherchons l'unité. Le
miroir, la source et le pin, les flèches des deux arcs
ressemblent à un rébus alchimique. Plus exactement
l'opposition entre l'arc de bois amer et noueux, de
couleur noire, et l'arc élégamment orné de figurines,
reflète la dichotomie habituelle de cette mentalité
gnostique; de même les deux séries de flèches qui ont
« force contraire ». Celles qui vont dans le sens du
raffinement amoureux sont en or, « sans fer ni acier »;
les autres ont le fer « plus noir que diables d'enfer ».
Quand on relit, ainsi, le roman, en cherchant la relation des différents éléments descriptifs, on est frappé
par deux caractères : d'une part nous avons affaire
à des objets pour ainsi dire abstraits, comme des
exemples, ne s'intégrant pas dans un décor donnant
l'impression de réalité, autrement dit des emblèmes;
d'autre part chacun de ces objets semble avoir sa
raison d'être à l'endroit où il est. D'où l'obsession de
trouver une signification pour chaque détail, obsession
qui peut devenir dangereuse, mais qui apparaît justifiée dans la mesure où les significations suggérées,
comme celles des deux séries de flèches, s'intègrent

à un système cohérent. La blancheur de la robe portée par Franchise « *signifie* que douce et franche était celle qui la portait », nous dit Guillaume de Lorris, nous encourageant à chercher d'autres « signifiances » du même genre.

Le système des images, partagé entre deux registres antithétiques, traduit dans son ensemble l'opposition entre les deux forces naturelles, voire cosmiques (si l'ambition de Guillaume de Lorris allait jusqu'à la métaphysique), de la sympathie et de l'antipathie. Au premier registre appartiennent, outre les manifestations de la beauté proprement dite, ce qui est printanier, humide, riche, paré, jeune, joyeux, généreux, et même gras. Au second registre on relève l'hiver, la sécheresse, la pauvreté, le dénuement, la vieillesse, la tristesse, l'envie et la maigreur. Les qualités sont interchangeables à l'intérieur de chaque registre (la vieillesse est sèche, pauvre, triste et maigre, la pauvreté est sèche, froide, triste et maigre). Ce système n'est pas original : il appartient à des catégories dont l'aristotélisme impose l'usage. Elles ont l'avantage d'établir une continuité entre le monde moral et le monde naturel.

Si l'on cherche quelques données plus explicites, on peut retenir l'opposition entre les lignes droites de la sympathie (comme la tige du bouton de rose) et les lignes recourbées de l'antipathie (doigts crochus, ronces, barbelés). Plus profondément encore, quelques images représentent les principes les plus actifs : l'or, l'eau et la lumière entrent dans la description des personnages sympathiques, tandis que les autres sont peints de couleurs sombres. Ainsi se confirme une orientation à la fois magique et mystique de l'aventure. L'évolution de l'amour se fait à la fois selon la force et selon la connaissance. Force de l'amour, symbolisée par le pouvoir de l'or qui, nous dit Guillaume, attire les cœurs comme l'aimant attire le fer. Lumière de la richesse, clarté des pierres précieuses comme les rubis, les saphirs, les émeraudes et l'escarboucle. Connaissance par le cristal qui, à travers le prisme de la fontaine, sépare les couleurs. Les deux thèmes du pouvoir magique et de la connaissance métaphysique sont étroitement associés, notamment dans la description de la fontaine d'amour qui est aussi source de vérité, comme le pin semble être arbre de vie et arbre de la connaissance. Ce qui exclut une intention ironique derrière ces allusions à l'or et à la richesse. Toute la théorie de l'amour qui nous est exposée insiste en effet sur la nécessité du *don*. C'est en se donnant totalement (et non en se prêtant seulement) que l'amoureux pourra toucher la dame. Et c'est en faisant de soi l'or raffiné à offrir qu'il attirera la sympathie. Nul mépris pour le métal jaune, dans ce texte, mais au contraire l'utilisation de son symbole pour faire comprendre l'art d'amour et la loi du monde.

Mais le sens symbolique de l'œuvre n'apparaît que dans le mouvement dialectique qui fait s'affronter, se mêler les deux principes opposés de sympathie et d'antipathie. Il s'agit de retrouver l'ordre des vicissitudes que l'amoureux rencontre dans son expérience. Une fois emporté par le désir, il s'expose en effet à des alternances de plaisir et de douleur : « Une heure pleure, autre heure chante » (v. 2176). On peut y voir un effet de la roue de Fortune qui « une heure rit, autre heure est morne » (v. 3957). L'art d'Amour fait apparaître la logique d'une progression sous ces oscillations désespérantes. Ainsi le désir du jeune homme est d'abord éveillé par l'appel sympathique du printemps. L'antipathie qu'il rencontre ensuite avec les figures peintes sur le mur est pour ainsi dire neutralisée : c'est un simple avertissement. Quant à la sympathie qui règne dans le verger, elle ne lui est pas encore donnée. Sa visite lui fait voir là un paradis de la joie, « lieu spirituel » peuplé de personnages qui ressemblent à des anges ailés, où l'on entend une musique céleste, où les fleurs comme la source sont éternelles. Ce paradis, il le retrouvera plus tard, peut-être, mais sa traversée ne lui en laisse que la nostalgie. Car aussitôt après les forces opposées se déchaînent, et c'est le commencement d'une descente dans la souffrance, la pénitence, le martyre, un « enfer », dit-il (v. 2580). L'amoureux maigrit, perd ses couleurs. C'est l' « *œuvre au noir* ». Dans ce conflit, Bel Acueil figure le pouvoir de sympathie, Danger celui de l'antipathie. D'un côté Franchise et Pitié favorisent la conjonction des amants, le baiser; de l'autre Male Bouche et Jalousie font triompher momentanément l'hostilité sur l'affection.

Cette épreuve est la voie nécessaire pour qui veut tirer profit du désir. La soif de Narcisse a trouvé une rapide mais illusoire et mortelle satisfaction; le feu qui fait brûler le *fin amant* (v. 2333-2346) va le transformer, le raffiner. C'est alors qu'il découvre la valeur de la *pensée*, de la *communication* avec un ami, de la *contemplation* d'un visage aimé : trois aspects de la vie spirituelle, telle qu'on peut la définir dans une perspective quasi mystique. Du premier désir visuel à ce ravissement contemplatif un progrès se devine déjà. L'espoir qui va animer l'amoureux, au moment de sa plus grande détresse, est que l'aimée lui restera fidèle dans sa réclusion en la prison d'amour, comme lui-même. Ainsi s'élabore un amour de cœur, à partir du désir des yeux. Et cette qualité du cœur, jointe aux qualités spirituelles que nous venons d'évoquer, nous fait pressentir le résultat attendu de l'alchimie amoureuse. L'homme sortira purifié, animé, exalté de ce *raffinement* douloureux. Le cœur, d'abord emprisonné dans le corps, se libère et finalement se montre le maître. « *Il est assez sire dou cors/Qui a le cuer en sa comande* », dit Amour, tout en fermant à clef le cœur de l'amoureux. Ce qui semble un trait de préciosité touche à un thème profond de l'œuvre. C'est ainsi que dans sa plainte finale le narrateur, adressant sa prière à Bel Acueil, insiste sur la fidélité sentimentale : « Si vous êtes mis en prison, lui dit-il, gardez-moi du moins votre cœur, et ne souffrez en aucune manière

que la farouche jalousie réduise votre cœur en escla-
vage, comme elle l'a fait de votre corps... Si le corps
doit rester en prison, veillez du moins à ce que le
cœur m'aime ! » En cette prière se résume non seulement la sentimentalité, mais la philosophie de toute
une tradition médiévale, qui fut particulièrement forte
au xiie siècle. Elle tendait à mettre le cœur, l'amour
qu'il représente, en toute occasion, au-dessus des
autres valeurs, en particulier celles du corps et de la
nature, de l'intelligence et de la raison. Tendance trop
vague et trop générale, sans doute, pour qu'on puisse
faire de ce *Roman de la Rose* un texte doctrinal compa-
rable à un traité de théologie mystique. Mais son auteur,
à défaut de pensée très originale, a eu le mérite de la
cohérence et le don de la synthèse. C'est ce qui contribue à faire de son livre, malgré ses difficultés et ses
défauts, le texte canonique de la poésie amoureuse
jusqu'au xvie siècle.

Il est vrai que ce respect et cette faveur des générations ultérieures n'ont pas toujours été dépourvus
d'aveuglement ou d'ambiguïté. On a lu d'un même
mouvement Guillaume de Lorris et Jean de Meun,
comme on lisait l'Ancien Testament en fonction du
Nouveau. L'œuvre courtoise a pu servir de masque
à l'œuvre satirique. Guillaume est parfois le Faux
Semblant de Jean. Mais il mérite un meilleur sort.
Son ingénieux système de discours et de descriptions,
de personnifications et de métaphores se propose à
nous comme un objet fascinant et mystérieux, un
signe littéraire construit autour d'un symbole, la
rose, œuvre figurative, au moins pour l'imagination
des lecteurs que viendront soutenir les enlumineurs
tentés par la richesse de cette substance allégorique.
Le nom de l'auteur, qui sonne comme un anagramme
ésotérique, le secret qu'il annonce, le songe dont il se
voile, le mystère de la fin qui laisse tout en suspens,
tout a contribué à faire de ce texte un rébus pour la
critique, formaliste ou philosophique. C'était sans
doute la fonction de l'œuvre que d'intriguer et ravir

à la fois le lecteur, moins pour éveiller son intelligence (elle était de toute façon nécessaire à une telle lecture) que pour former son goût et sa sensibilité. On ne le quitte pas sans regret ni sans hésitation. L'amoureux pouvait-il vraiment réussir? L'ombre de la mort ne s'étend-elle pas sur cette fontaine, sous ce pin où l'on appréhende de découvrir le roi Marc, perché et caché, épiant le couple adultère, ou plus simplement le fantôme de Narcisse? C'est un peu l'idée que s'en fait le meilleur lecteur, Jean de Meun. Mais pour lui la *fine amour* est un rêve dont il faut sortir, le verger de Guillaume de Lorris est un paradis perdu. Il nous faut retrouver maintenant, avec lui, un autre paradis.

DEUXIÈME PARTIE

JEAN DE MEUN

4 L'AMPLIFICATION DE L'ALLÉGORIE

JEAN de Meun a donc repris le récit allégorique de
Guillaume de Lorris où il l'avait laissé. Si lui-
même ne nous l'avait pas révélé dans le cours de
son ouvrage, nous aurions eu du mal à remarquer,
dans le monologue du pauvre amoureux, la coupure
entre les deux vers (4028 et 4029 de l'édition Lecoy),
que séparent pourtant une quarantaine d'années. Le
principe même d'une continuation n'a rien de surprenant dans la littérature du Moyen Age. Rappelons-
nous les continuations du *Perceval*, dont deux ont été
composées plus de quarante ans après l'œuvre de
Chrétien de Troyes. La littérature, comme l'architecture, est œuvre progressive, que l'on poursuit au
besoin d'une génération à l'autre. Dans certains cas,
comme le roman du *Chevalier de la Charrete*, l'auteur
a délibérément confié à un autre la tâche de finir
l'ouvrage. Un inachèvement accidentel, comme celui
du premier *Roman de la Rose*, est une invitation au
travail pour d'éventuels continuateurs. Il y a aussi
des remanieurs qui, tel Gui de Mori, se croiront auto-
risés à reprendre le texte en le corrigeant par endroits
pour en préciser ou en déformer le sens : écrivant à la
fin du siècle, il renonce à la discrétion de Guillaume
et interprète son aventure selon le système des *degrés*
qui conduisent à la jouissance amoureuse. Il ne faut
pas juger ce genre d'entreprise sur sa fidélité au modèle.
Ce sont, comme par hasard, les textes difficiles et

ambigus qui attirent le plus les remanieurs et les continuateurs.

Jean de Meun a compris à sa manière l'œuvre de Guillaume de Lorris. Il s'en est expliqué avec franchise et clarté. D'abord, la quête de la rose, laissée inachevée (comme celle du Graal chez Chrétien de Troyes), doit être menée à son terme logique : « *Cist avra le romanz si chier/qu'il le voudra tout parfenir* », fait-il dire par Amour, qui annonce le travail de l'écrivain (v. 10554-55). Son intention est bien d'enseigner... « *la maniere dou chastel prendre/et de la rose cueillir* ». Ainsi les jeunes lecteurs amoureux seront à l'abri du désespoir qui pourrait les conduire à la mort. Cet enseignement intervient comme un « confort », une consolation pour l'amoureux que Guillaume a laissé au moment où il est plongé dans la douleur. Projet moral et pratique, qui donne un sens à l'intention purement littéraire et artistique d'achever l'ouvrage. Le modèle philosophique d'un tel projet n'est pas difficile à trouver : la *Consolation* de Boèce, souvent citée par notre auteur, et dont il finira par donner une traduction. Mais ce projet n'est pas seulement un prétexte à continuer le roman; car une interprétation personnelle, bon gré mal gré, va transformer le projet didactique de Guillaume de Lorris, tel qu'on peut le reconstituer. Non par changement du but final : après tout il s'agissait dès le départ de cueillir la rose; mais par un changement d'esprit, de goût, de style, dont Jean de Meun est parfaitement conscient. Il est même tenté de rectifier le titre de l'œuvre, ou de lui donner un sous-titre plus conforme à sa conception du didactisme : « Tous ceux qui vivront devraient appeler ce livre le *Miroir aux amoureux*, tant ils y verront de choses profitables pour eux » (cf. v. 10619-10622). Le titre de *miroir*, en latin *speculum*, est en effet donné à de nombreux ouvrages didactiques (ainsi le *Speculum doctrinale* de Vincent de Beauvais, en 1250, bientôt suivi de deux autres « miroirs » du même auteur). Pourtant, vers la fin du livre, Genius le cite à propos des vices, en ces termes : « *Assez briefmant les vos expose/li jolis Romanz de la Rose* » (v. 19851-52). Il fait ainsi allusion, semble-t-il, moins aux « images » de Guillaume de Lorris, qu'aux vers 19195-19207. Cependant, tout au long de sa continuation, l'auteur se réfère à la première partie, dans une confrontation qui facilite la perception des différences. Ainsi les « commandements » d'Amour font l'objet d'un examen de contrôle : « Mais, en guise de *confiteor*, je veux que tu me rappelles tous mes commandements » (cf. v. 10366-68). Et Amour renvoie aux vers 2074 et suivants de Guillaume, que d'ailleurs il systématise en un décalogue à peine ébauché par celui-ci.

La preuve irréfutable d'une certaine distance prise par rapport à Guillaume se trouve dans le sermon de Genius. Celui-ci en effet, reprenant la description du verger, en fait une critique détaillée et sévère, pour lui opposer sa conception d'un paradis plus religieux (v. 20249-20584). Il reprend parfois terme à terme le texte de Guillaume, pour en analyser les erreurs doctrinales en une véritable explication de type universitaire. Ainsi, à propos de la Fontaine d'Amour, il dit : « On devrait lui faire la moue, puisqu'il fait l'éloge de cette fontaine : c'est la fontaine périlleuse, si amère et si venimeuse qu'elle tua le beau Narcisse. Lui même n'a pas honte de le reconnaître, mais il en témoigne, et il ne cache pas sa cruauté quand il la nomme *miroir périlleux* » (cf. v. 20376-386). Et Jean de Meun en appelle au jugement du lecteur, à travers l'auditoire de Genius : « Pour Dieu, seigneurs, que vous semble du parc et du jardin?... Je m'en tiens à vos jugements si vous formulez une sentence juste, en tenant compte des errements que je vous ai rappelés en les lisant » (cf. v. 20567-584). Il va sans dire que même si Guillaume de Lorris nous préparait une palinodie de son verger (comme André le Chapelain l'avait fait pour son *Art d'aimer*, dont la troisième partie semble réfuter les deux premières), il ne se serait pas mis personnellement en accusation. Or les critiques adressées

par Genius à Guillaume sont sans équivoque : Jean de
Meun marque son désaccord sur le plan essentiel du
mythe. De toute façon, on le voit déjà, cette continuation est aussi un remaniement. D'autres aspects de
l'œuvre vont confirmer ce double caractère qui déconcerte un peu le lecteur moderne.

La personnalité de Jean de Meun, en tant qu'écrivain, se remarque d'emblée : elle tient aux proportions
de l'ouvrage. Comme d'autres « continuations », la
sienne se développe au-delà des limites probablement
voulues par le premier auteur. Cette *amplification* fait
partie, Alan Gunn l'a bien montré, des procédés nor-
maux de la littérature. Si la rhétorique des anciens
entendait surtout par là une mise en valeur de l'idée
(par diverses figures comme l'hyperbole), les écrivains
du Moyen Age ont un peu confondu la valeur avec la
longueur du discours. Cela tient à une certaine façon
de concevoir les idées comme des noyaux denses de
pensée, qu'il convient de déployer, de développer pour
les exposer au public, les *expliquer*, au sens étymolo-
gique. Le principe même de l'enseignement est celui
du commentaire, qui exploite les sentences pour faire
défiler tout le savoir qui s'y rapporte. Jusqu'au
xvie siècle, l'activité intellectuelle reste ainsi dominée
par l'attitude de la *glose*, définie au départ par l'exégèse des textes sacrés. Ainsi tout un aspect de la création littéraire, celui qui précisément cherche à divul-
guer le savoir, se caractérise par un mouvement
d'expansion. Ce qui s'oppose, évidemment, au procédé
inverse de l'abréviation, pratiqué par certains poètes.
Là tout est secret, allusion voilée, litote, ou au moins
densité : on s'adresse non pas au grand public, au
vulgaire, mais aux initiés, aux meilleurs, aux sages.
Ainsi en va-t-il du lyrisme courtois. Or justement
Guillaume de Lorris, rassemblant et systématisant
l'héritage de ce lyrisme, n'a pas vraiment abandonné
l'esprit de la *brevitas*. Son allégorie, en substituant
l'image narrative à la sentence, n'a pas franchement
développé les idées. L'inachèvement accidentel de

l'œuvre renforce, mais ne crée pas, l'impression de réticence à communiquer le savoir, à « espondre » (exposer) la vérité cachée de l'amour.

Contrairement à ce qu'on pourrait attendre de la continuation d'un roman, Jean de Meun ne s'est pas servi du texte qu'il avait sous les yeux comme d'un simple récit d'aventure dont il faut poursuivre le déroulement linéaire. Son propre texte n'est pas seulement un prolongement (bien qu'il en ait aussi l'aspect), c'est une glose. Il cherche à rendre explicite ce qui, à ses yeux, est resté implicite. La preuve en est qu'il reprend d'abord le plan déjà suivi par son prédécesseur. On voit réapparaître, presque dans le même rôle, les mêmes personnages. Raison revient critiquer l'amour, et l'amant l'éconduit. Amour fait répéter sa doctrine. Ami revient prodiguer ses conseils. Danger, Peur et Honte s'opposent à Bel Acueil dans le même genre d'action. Et on peut aussi trouver comme chez Guillaume de Lorris les données correspondant aux personnages les plus originaux comme Richesse et la Vieille, qui avaient là des fonctions plus discrètes, l'une décorative, l'autre anecdotique. Il est vrai que cette dépendance est surtout sensible au début de l'amplification. Peu à peu la création originale l'emporte sur le commentaire du modèle, pour s'affirmer avec les rôles de Faux Semblant et Abstinence Contrainte opposés à Male Bouche. Les vers 10465-650, prononcés par Amour, et où l'auteur, en se nommant ainsi que Guillaume, définit son projet, marquent une étape décisive, celle sans doute de la prise de conscience, si, comme il est probable, l'œuvre s'est inventée progressivement, au cours d'une rédaction qui a dû prendre de nombreux mois pour 17 722 vers. Remarquons que l'épisode se situe exactement au milieu du *Roman de la Rose* considéré dans ses dimensions finales. Et vers la fin de son travail, porté par des structures étrangères à la tradition romanesque et lyrique, notamment l'allégorie du *De Planctu Naturae* d'Alain de Lille, Jean de Meun en arrive à s'opposer franchement à celui dont il s'inspirait assez fidèlement d'abord. Évolution logique, en somme, chez un écrivain encore jeune. Mais jusqu'à la fin, on retrouve des fragments du premier livre comme dispersés par l'explosion d'un nouveau talent : épisodes où figure le château-prison, lutte avec Danger, Honte et Peur, intervention de Vénus.

Si l'on cherche à lire cette œuvre comme un roman allégorique, on sent très vite un changement d'allure par rapport au récit de Guillaume de Lorris. La narration et la description se font plus rares, du moins en ce qui concerne l'aventure centrale vécue par le rêveur-amoureux. Au contraire les discours attribués aux personnifications tiennent une place considérable. En termes de rhétorique nous pouvons dire que la *narratio* ne sert plus que de transition aux différents moments de la *disputatio*. Entre le pur récit et le simple monologue l'auteur utilise assez souvent le dialogue, sorte de compromis dramatique, déjà teinté de théâtralité, qui annonce l'allégorie des « moralités» qu'on jouera à la fin du Moyen Age. Seul le théâtre, en effet, pourra concilier la figuration par l'image et l'expression par le discours, deux modes de communication dont l'esthétique du xiiie siècle cherche encore l'équilibre. En nous aidant des analyses de F. Lecoy et Alan Gunn, essayons de résumer ce vaste ensemble :

4191-4198. *Narration :* arrivée de Raison.
4199-7198. *Discours* de Raison : elle définit les différentes formes d'amour, fait l'éloge de l'amitié, critique la richesse, propose son alliance. Le discours est interrompu plusieurs fois par l'amant, ce qui donne naissance à un *dialogue* aux vers 5290, 5345, 5444-5526 (échange très animé), 5667, 5809; à partir du vers 6871 les objections de l'amant provoquent un véritable *débat* sur le langage.
7199-7206. *Narration :* départ de Raison, arrivée d'Ami.

7207-7252. *Dialogue* de l'amant avec Ami : premières paroles de réconfort.

7253-7764. Première partie du *discours* d'Ami : il enseigne les ruses nécessaires pour conquérir la dame.

7765-7854. *Dialogue* avec l'amant à qui l'hypocrisie répugne.

7855-9972. Fin du *discours* d'Ami : il déconseille le recours à l'argent; il montre combien il est difficile de conserver sa dame (long exemple du mari jaloux, sa dispute avec sa femme); le mensonge est nécessaire car nous ne sommes plus à l'Age d'or, et la nature des femmes y oblige.

9973-10040. *Narration :* rencontre de Doux Penser et Doux Parler; promenade en évitant le plus court chemin vers le château; rencontre de Richesse.

10041-10237. *Discours* de Richesse amorcé par un *dialogue;* elle refuse d'aider l'amant, lui faisant un noir portrait de Pauvreté et Faim qui l'attendent à la sortie de son chemin.

10238-10288. *Narration :* l'amant se résigne à l'hypocrisie.

10289-10408. *Dialogue* avec Amour qui fait réciter la leçon.

10409-10462. *Narration :* l'armée d'Amour est convoquée; premier dialogue avec Faux Semblant.

10463-10648. *Discours* d'Amour *(brève parole)*, allusion aux deux auteurs du livre.

10649-10975. *Délibération (narration et dialogue)* de la cour : élaboration d'un plan d'attaque; puisque Richesse a refusé son aide, on utilisera Faux Semblant; mais il faudra sans doute faire appel à Vénus.

10976-11980. *Discours* de Faux Semblant : son rôle chez les gens d'Église; ses liens avec les mendiants et les pauvres; au service de l'Antéchrist; tel est le meilleur allié d'Amour !

11981-12120. *Narration :* Faux Semblant et Contrainte Abstinence arrivent à la porte du château gardée par Male Bouche.

12121-12330. *Dialogue* de ces trois personnages (avec deux *sermons* des faux pèlerins).

12331-12709. *Narration* animée de *dialogues :* progression des assaillants dans le château; négociations avec la Vieille qu'on charge de s'entremettre auprès de Bel Acueil; celui-ci accepte le cadeau qu'elle lui apporte.

12710-14516. *Discours* de la Vieille : regrets de sa jeunesse; conseil aux jeunes filles pour éviter d'être dupes; exemples de femmes trompées; l'art d'abuser les hommes par la coquetterie, le calcul, le mensonge; le goût pour la liberté dans le plaisir; se préparer à la vieillesse; ne pas faire comme elle-même, qui a tout donné à un vaurien et reste sans ressource; la beauté et ses pouvoirs n'ont qu'un temps.

14517-14573. *Narration :* poursuite du combat au château où Jalousie dirige la résistance.

14574-14648. Fin du *dialogue* de la Vieille et de Bel Acueil.

14649-15104. *Narration* animée de *dialogues :* guidé par la Vieille, aidé par ses amis, l'amant arrive près de Bel Acueil; il tente de cueillir la rose; mais il est chassé par Danger, Peur et Honte; les troupes d'Amour viennent à la rescousse.

15105-15272. *Discours-digression* de l'auteur à ses lecteurs : il se défend contre certains reproches (obscurité, misogynie, hostilité aux dévots).

15273-15861. *Narration* animée de *dialogues* et de *harangues :* poursuite du combat au château; les duels, l'appel à Vénus; visite au Cithéron et histoire d'Adonis; départ de Vénus et son arrivée au château; serment, de la déesse et d'Amour, de remporter la victoire.

15862-16221. *Narration-description* de Nature dans sa forge; son travail pour défendre les espèces contre la mort; comparaison avec l'art, avec l'alchimie; impossibilité de décrire Nature, source de toute beauté.

16222-16283. *Plainte* et *dialogue* de Nature avec Genius, son chapelain, à qui elle veut se confesser.

16284-16676. *Discours :* la consolation adressée par Genius à Nature.

16677-16698. *Narration :* Nature se met à genoux devant Genius.

16699-19375. *Discours :* la *confession* de Nature, et sa *plainte* contre l'homme; description de l'univers créé par Dieu; rôle de Nature; tout obéit à ses lois sauf une créature; énumération de tous les éléments du système dont il n'y a pas lieu de se plaindre (étoiles, planètes, éléments, plantes, animaux); seul l'homme refuse l'obéissance, malgré les dons qu'il doit à Nature et à Dieu; appel contre son refus de procréer; Genius est prié d'aller trouver Amour et Vénus, d'excommunier les ennemis de Nature, d'accorder son pardon à ceux qui ont soin de propager l'espèce humaine.

19376-19474. *Narration :* rédaction de la proclamation et arrivée de Genius au camp d'Amour.

19475-20637. *Discours : sermon* de Genius; critique de la chasteté; invitation au travail de procréation; évocation de l'enfer; description du paradis; comparaison avec l'âge d'or et avec le jardin de Deduit chez Guillaume; il faut mettre sa vie au service de Nature.

20638-21750. *Narration :* l'assaut final au château; Vénus envoie son brandon enflammé; déroute des ennemis de l'amant; celui-ci, équipé en pèlerin, par le sentier étroit parvient au sanctuaire; enfin il cueille la fleur du beau rosier.

Essayons de ressaisir, à partir de cette fragmentation du texte, la trame narrative. On reconnaît, dans un ordre différent, l'intrigue suivie par Guillaume de Lorris : tentative de détournement par Raison, conseils d'Ami, fidélité confirmée à Amour, essai de se concilier Bel Acueil pour s'approcher de la rose, obstacle représenté par Danger, Honte et Peur,

secours de Vénus armée d'un brandon enflammé. Ce
système avait abouti à l'échec; si maintenant il réussit,
c'est grâce à l'intervention d'éléments nouveaux, qui
révèlent les intentions de Jean de Meun. En effet la
péripétie, à la fois nouvelle et décisive, tient aux deux
personnages de Faux Semblant et Contrainte Abstinence : ils ont le mérite d'éliminer Male Bouche, responsable, on s'en souvient, de la crise de Jalousie qui avait
arrêté l'amant. Autrement dit la ruse et le mensonge
du jeune homme font taire les soupçons de la jeune
fille. Mais Jalousie est un personnage ambigu, à deux
faces : ne pouvait-on imaginer que le jeune homme
lui-même en souffrît? Le personnage de la Vieille,
auxiliaire douteuse de l'amant, explique à Bel Acueil
l'art de tromper les hommes. Ses conseils d'entremetteuse concernent moins l'action en cours, la tentative de séduction poursuivie par l'amoureux, que
d'éventuelles difficultés que plus tard le couple pourrait rencontrer; ils complètent les conseils déjà donnés
par Ami dans le même sens. Ainsi le rôle de certains
personnages, que souligne Jean de Meun, se définit
non seulement par rapport à la conquête de l'aimée,
mais plus largement en fonction d'une idée globale
de la vie humaine. Cette perspective est confirmée
par les discours de Nature et de Genius, que l'œuvre
de Guillaume de Lorris ne laissait pas prévoir (il n'était
fait allusion à Nature que d'une manière fugitive,
quand on voulait décrire une beauté remarquable).
Ces deux derniers personnages ne sont pas des moteurs
de l'action, mais des principes. Sur le plan métaphorique, ils figurent une Église dans cette étrange
croisade dont le bras séculier appartiendrait à Amour
et à Vénus. Il y a donc un élargissement de la vision
allégorique, les acteurs sont plus nombreux, de condition plus variée. Ils représentent non plus seulement
les éléments psychologiques confrontés par l'amour,
mais toutes les forces de l'univers, y compris celles
du mal. La quête amoureuse est devenue une affaire
non seulement humaine, mais cosmique.

Inversement le rôle de l'amant est plus confus et plus effacé. La subjectivité du narrateur, si intéressante dans le songe allégorique de Guillaume, n'est plus sentie par le lecteur que d'une façon intermittente, surtout dans les narrations de transition, quand il s'agit de justifier par la situation de l'amoureux l'entrée en scène des grands discoureurs. Transition parfois fort désinvolte, comme lorsque le narrateur, ayant laissé partir Raison, se souvient d'Ami : immédiatement, sans autre explication « ... Voici Ami que Dieu amène » (v. 7204). Un peu plus loin, nous suivons avec plus d'attention les déplacements du narrateur non loin du château, en descendant une prairie toute enluminée de fleurs et en écoutant le chant des oiseaux. Mais ce qui s'étendait sur des dizaines de vers chez Guillaume, se résume ici en quatre ou cinq octosyllabes. Après la rencontre de Richesse le narrateur s'en va « pensif et égaré » à travers le jardin délicieux. Résultat de cette réflexion : il va courtiser Male Bouche. Alors commence une épreuve qui a duré longtemps : « *Si fis ainsinc ma penitance/lonc tens* » (v. 10267-68). En deux ou trois formules on définit cette duplicité observée par devoir, mais l'analyse ne cherche pas à rendre sensible la vie intérieure. Malgré ses proportions, cette allégorie n'est donc pas un roman de la durée.

On revient malgré tout au fonctionnement normal de l'allégorie, tel que Guillaume l'avait préparé, chaque fois que la narration concerne l'attaque du château où est enfermé Bel Acueil. Cette fidélité au projet initial est soulignée par le dialogue avec Amour, au cours des préparatifs d'assaut, par le rappel de la doctrine et par la digression prophétique sur les deux auteurs du roman. Toutefois la narration de l'assaut perd de sa vigueur figurative en raison des fréquentes et longues interruptions par les discours. Quelques scènes retiennent l'attention. Ainsi l'assemblée des barons élaborant un projet d'attaque : la cour d'Amour, dont nous avions une image mondaine et pacifique chez Guillaume, prend ici une allure militaire et féodale. La ruse de Faux Semblant et de sa compagne, déguisés en pèlerins, la façon dont ils abordent Male Bouche, la sermonnent, puis l'étranglent et lui coupent la langue avec un rasoir, constituent une scène d'une grande limpidité allégorique (l'hypocrisie fait taire la médisance), racontée avec beaucoup de couleur dramatique. L'entrée de l'armée d'Amour dans la place, mal défendue par des soudards ivres morts, nous montre l'exploitation militaire d'une action peu glorieuse. Dans tout cela on perd de vue l'amoureux, qui pénétrera dans le château par une porte de derrière, alors que l'armée lui a ouvert la grand'porte, pour son entrevue avec Bel Acueil. Mais toute la narration trahit le compromis entre la vision guerrière et la conception « bourgeoise » de l'aventure; d'un côté l'affrontement violent et de l'autre l'intrigue. Le narrateur est inégalement associé à ces deux types d'action. Ce n'est qu'au moment de l'expulsion par Danger, Honte et Peur que l'unité narrative est sur le point de se réaliser dans la description de la mêlée générale. Mais l'amant s'installe en pur spectateur du combat et l'auteur, comme s'il voulait jouer avec notre intérêt pour le récit, qui alors se réveille, place ici une digression : « *Des or vanrons a la bataille,/s'orroiz conment chascuns bataille./Or antandez, leal amant...* » Cette apostrophe au lecteur ne peut venir de l'amoureux lui-même, dont la fiction un instant s'efface pour laisser parler Jean de Meun. Aussitôt après son plaidoyer, l'auteur revient à la narration (15273) sans crier gare. Dans la description objective du combat, on oublie la fiction du narrateur amoureux et ses problèmes subjectifs. Les troupes d'Amour se trouvant en difficulté, on va chercher Vénus; les deux divinités païennes définissent par leur serment le sens de leur combat : la lutte est devenue métaphysique, le destin singulier du narrateur passe au second plan. Ce changement de registre narratif est confirmé par la visite aux forges de Nature, par la mise en scène de son long discours dont la péroraison vise l'intérêt des « fins amoureux » (v. 19336) et non plus seulement celui du narrateur. Le sermon de Genius s'adresse ainsi aux seigneurs, aux barons, au public masculin en général, qui prend la place du héros de l'aventure. L'assaut final est décrit dans la même perspective d'une allégorie objective. Même l'évocation de Bel Acueil et des roses prend une valeur universelle : « Bel Acueil laissera tout prendre, boutons et roses, à discrétion... tous iront en procession, sans faire d'exception, parmi les rosiers et les roses, quand j'aurai ouvert les barrières » (v. 20708-20716). Et c'est seulement quand la bataille est terminée, quand Vénus et Amour ont remporté la victoire, mettant fin à la narration sur un thème héroïque, que le narrateur reprend la parole pour parler de soi, retrouvant, au prix d'un raccord trop sensible, le fil du récit subjectif perdu sur plus de six mille vers (du v. 15082 au v. 21316). Bien que préparé *in extremis* par une allusion de Vénus, dans sa péroraison, « à ce loyal amant... qui a longtemps souffert » par fidélité au dieu Amour, l'épisode final se développe sur un autre thème allégorique, celui du pèlerinage : thème qu'on superpose, non sans fantaisie, à celui de la rose enfin cueillie. Les trente vers de conclusion tentent malgré tout une synthèse des divers éléments narratifs, l'heureux amant rendant grâce à Amour et à Vénus qui l'ont si bien aidé, se félicitant d'avoir oublié Raison et Richesse, d'avoir surmonté l'opposition de ses ennemis et surtout de Jalousie. Il nous faut cependant comprendre cette déviation de la narration allégorique par rapport à la fiction du songe, qui n'est plus mentionnée qu'au dernier vers, dans une sorte d'*explicit* extérieur à l'œuvre : « *Atant fu jorz, et je m'esveille* » (v. 21750).

Si le modèle narratif de l'allégorie, chez Guillaume de Lorris, était le roman courtois, avec Jean de Meun on revient à la forme épique qui n'a cessé de hanter la littérature didactique depuis Prudence. Dès *la*

Thébaïde de Stace, texte bien connu au Moyen Age, on associe la personnification morale à la narration épique. De l'épopée à tendance allégorique on passe facilement au récit allégorique à tendance épique : c'est à cette dernière formule que Jean de Meun semble vouloir se rattacher, moins au début de son œuvre quand il est encore sous l'influence directe de Guillaume, que par la suite, peut-être sous l'influence d'une littérature en latin comme celle d'Alain de Lille. Le thème épique est aussi une constante des sermons chrétiens, où la vie morale est souvent interprétée comme un combat de l'âme, ou comme une bataille des vertus et des vices. La satire morale a mis à la mode littéraire ce thème des sermons. Ainsi Rutebeuf a écrit, quelques années avant Jean de Meun, une *Bataille des Vices et des Vertus*, pour critiquer les ordres mendiants, dont notre auteur s'inspirera pour construire son personnage du Faux Semblant. Par le biais de la satire, enfin, le thème épique glisse facilement au burlesque, comme dans la *Bataille des vins* (composée vers 1225 par Henri d'Andeli), ou au moins à la parodie ironique, comme dans la *Bataille des sept Arts*, où Henri d'Andeli décrit les querelles universitaires en s'inspirant de Martianus Capella. D'autre part, pour figurer la conquête sexuelle, on s'est toujours servi de métaphores militaires. N'oublions pas que Végèce a été traduit par Jean de Meun lui-même. Ce genre d'image convient mieux à une interprétation dynamique de la vie psychologique, qu'à une conception contemplative, qui aura plutôt recours à des images idylliques. Enfin notre auteur semble s'être inspiré aussi des chansons de geste dans le détail.

Ainsi la grande bataille qui s'ébauche autour du château de Jalousie, à partir du vers 15272, va se dérouler comme une succession de combats singuliers. Nous verrons s'affronter des personnifications choisies pour leur signification antithétique : Franchise contre Danger (la générosité contre le refus égoïste). Pitié

contre Danger, puis contre Honte (la pudeur). Bien
Celer contre Honte, puis contre Peur (la dissimulation
contre la pudeur et la peur). Hardement, puis Seürté
contre Peur (la hardiesse et l'intrépidité contre la
peur). L'image de ces duels est caractérisée par des
armes diverses : la lance et l'épée, comme il se doit dans
une bataille chevaleresque, tiennent la meilleure place,
mais Danger est doté de la massue, arme de vilain,
comme chez Guillaume de Lorris; quant à Pitié, elle
est dotée d'une « miséricorde », ce coutelas à donner le
coup de grâce, où nous reconnaissons facilement un
jeu de mots.

A y regarder de près, tout ce passage constitue en
effet un amusant et minutieux travail allégorique,
dont les procédés les plus ingénieux serviront encore
à la grande poésie du xve siècle. L'origine ou la matière
des armes sont nommées d'après des notions
abstraites : ainsi la détermination d'un nom concret
par un nom abstrait va rester caractéristique d'un
certain style allégorique. La lance de Franchise est
faite d'un bois de caresse; son fer est de douce prière;
l'écu est de supplication, bordé de mains jointes, de
promesses, de serments, etc. On saisit le rapport
logique entre tous les éléments d'une même mise en
scène, ainsi réunis pour constituer un ensemble emblématique. Ici Jean de Meun peut rivaliser avec son
prédécesseur dans l'art de résumer la vie amoureuse
en une image d'un ordre tout différent. Le spectacle
de ce duel nous donne l'essence d'un petit drame où
un amant cherche à apitoyer par ses supplications une
demoiselle qui se montre insensible. Mais tous les
moments de la bataille n'ont pas la même densité
expressive; certaines péripéties sont purement orne-
mentales, et l'on voit alors l'auteur rivaliser avec les
jongleurs de geste, non sans humour. Avec l'intervention de chaque nouveau personnage, on redouble
d'ingéniosité. Pitié, que nous avons vue armée de
miséricorde, a un écu de soulagement, bordé de
gémissements, doublé de soupirs. Elle noie de larmes

son adversaire. Honte a une épée forgée de souci-d'être-vue. Elle a un bouclier fait de peur-de-mauvaise-renommée. Délit (délice) a une épée de vie plaisante et un écu d'aise. Peur a une épée de soupçon-d'orgueil et un écu de doute-de-péril : mais il est pour le moins curieux de la voir triompher aisément de Hardiesse. Son autre adversaire semble lui reprocher de n'être pas fidèle à sa nature, à sa définition : « D'habitude vous aviez les fièvres de couardise cent fois plus qu'un lièvre, et voilà que vous n'êtes plus couarde » (v. 15529-15531). Ici intervient, bien sûr, l'humour de l'auteur. Et tout ce passage prouve bien que, malgré ses proportions, son œuvre a été finement calculée dans le détail. Pourtant il excelle à donner l'impression d'une brillante improvisation. Le rythme de la bataille s'accélère, pour finir dans une mêlée générale : « Ils tournent de çà, tournent de là, chacun appelle ses gens, tous accourent pêle-mêle. On n'a jamais vu voler neige ou grêle en nuages plus denses que ces coups qui volent. Tous rompent les rangs, tous s'affolent, jamais on n'a vu telle mêlée de personnes ainsi mélangées » (v. 15592-96). Le style du passage est assez burlesque. Mais comment juger le rire du Moyen Age? Dans l'ensemble, cette épopée allégorique ne manque pas de cohérence. On peut justifier par le genre épique ces longs passages auprès des « divinités » (Vénus ou Nature) et la dualité que nous avons relevée entre l'aventure de l'amoureux et la guerre du dieu Amour, ce dernier élément tenant la place du merveilleux épique dans les poèmes de l'antiquité. On est surpris de découvrir, au milieu du *Roman de la Rose*, une préfiguration du *Virgile travesti*.

Jean de Meun manifeste encore son sens du comique sous d'autres formes. Il y a, par exemple, au beau milieu du discours d'Ami, une sorte de fabliau monté avec beaucoup de verve et mettant en scène un mari jaloux (v. 8426-9390). En vérité l'essentiel de ce conte est mis dans la bouche du mari lui-même en un monologue comique, un discours dans le discours, qui doit illustrer les erreurs à éviter. Le mari s'en prend à sa femme qui profite de son absence pour s'amuser, mêlant crises colériques et sarcasmes amers, et émaillant ses propos de formules vulgaires, voire très grossières. Mais il passe de l'invective à des considérations plus générales sur la stupidité du mariage et la méchanceté des femmes, invoquant de nombreux et doctes exemples, qui appartiennent à un tout autre registre littéraire que le comique du cocuage (il nomme Lucrèce, Pénélope et Héloïse). Certaines tirades sont dignes du théâtre : « Que me vaut cette coquetterie, cette robe coûteuse et chère qui vous fait ainsi redresser la tête, qui tant me cause de contrariété et de fureur tant elle est longue et tant elle traîne derrière vous, pourquoi montrer tant d'orgueil que j'en perds complètement la tête? » (v. 8814-8820). Et le monologue continue... on croit déjà entendre Sganarelle. Cette « école des maris » nous vaut une revue complète de tous les défauts féminins. Elle se termine par une évocation de la belle-mère, qui se voit traitée de « *orde vielle putain fardee* ». Au comble de la fureur, le mari se met à tirer les cheveux de sa femme, il la brutalise jusqu'à ce que les voisins, alertés par ses cris, viennent l'arracher à son bourreau. Tout ce passage est d'une excellente veine comique. Il faut citer aussi les dialogues auxquels participe la Vieille. Le personnage a déjà, en soi, les ressources d'un type de comédie : l'entremetteuse. En la mettant en scène directement, et non plus comme le jaloux par l'intermédiaire d'un discours, l'auteur cherche à la faire agir sous les yeux du lecteur. Toutefois nous ne sommes plus dans la comédie antique et ses interlocuteurs sont des personnifications allégoriques. Descendue de sa tour, dans la cour du château envahie par Faux Semblant, Contrainte Abstinence, Courtoisie et Largesse, elle les aborde avec prudence, ayant peur de se faire battre. Mais on la rassure : « Douce mère tendre », lui dit-on, « s'il vous plaisait

que Bel Acueil ne languît plus là-dedans... », et le
plaidoyer fort habile se développe sans d'abord
surmonter sa peur d'être punie par Jalousie. Rassurée,
quand elle apprend la mort de Male Bouche (donc le
risque de médisance), elle va trouver Bel Acueil sans
lui dévoiler tout de suite la mission qu'on lui a confiée.
Enfin la voilà dans son rôle, elle demande à Bel Acueil
d'accepter la couronne de fleurs qu'on lui offre.
Elle y joint l'éloge de l'amoureux, et comme l'autre
fait des difficultés pour accepter le présent, le dialogue
devient plus tendu : « Je ne le prendrai pas. — Mais si
vous le ferez. Vous n'en aurez ni blâme ni perte. —
Et si Jalousie me demande d'où il vient? — Vous
trouverez plus de vingt réponses. — Toutefois, si elle
me le demande, que puis-je répondre à sa demande? »
(v. 12679-12684). On est frappé par le naturel de cette
petite scène. Du point de vue de l'allégorie elle a le
grand mérite de mettre en situation les notions restées
abstraites de Jalousie, de Médisance (et la peur qu'on
peut en avoir), et surtout de montrer à l'œuvre cet
esprit de ruse que Jean de Meun introduit dans le
mécanisme de l'amour pour le faire aboutir au dénouement. On ne pouvait mieux préparer au long discours
dans lequel ce personnage de la Vieille va raconter
sa vie, s'analyser, se donnant comme exemple de ce
qu'il ne faut pas faire, mais tirant de son expérience
des enseignements qui tiennent une place importante
dans notre « miroir aux amoureux ».

Si donc Jean de Meun n'a pas fait du montage
allégorique l'essentiel de son livre, comme c'était le
cas chez Guillaume de Lorris, il s'en faut que ce soit
par indigence de moyens, ou absence d'imagination
créatrice. En marge des grands discours nous découvrons une gamme très variée de procédés capables
d'animer l'allégorie. On peut même dire que notre
auteur a l'instinct linguistique de l'allégorie, car il
sait comment la susciter à partir des métaphores qui
traînent dans le langage. Par exemple, le rôle de
Raison est, à un certain moment, guidé par la méta-

phore sous-jacente « prendre pour amie », au sens de :
« se rallier à (un principe) ». D'où la surprenante
coquetterie, de la part d'un personnage habituellement
austère : « Ne suis-je pas une dame belle et gente,
digne de servir un homme de valeur, fût-il l'empereur
de Rome? Eh bien, je veux devenir ton amie » (v. 5768-
5771). Sur ce thème l'auteur va broder avec une
plaisante fantaisie : « Tu auras en cet avantage une
amie de si haut lignage que nulle ne peut se comparer
à elle, la fille de Dieu, le père souverain, qui me fit
et me forma comme je suis. Regarde ici quelle beauté
a mon visage et applique-lui ton attention » (v. 5783-
5789). Sans influer directement, comme ici, sur l'attitude et l'action d'un des protagonistes, l'invention
métaphorique donne parfois naissance à une allégorie
secondaire, filée pendant quelques vers. Ainsi l'image
de la maison sert à commenter l'antithèse de la
jeunesse et de la vieillesse : « Et sais-tu où habite
Jeunesse que prisent tant d'hommes et de femmes?
C'est Délice qui l'abrite en sa maison... Et Vieillesse,
sais-tu où elle demeure? Je veux te le dire sans tarder,
car c'est là qu'il te faut aller si Mort ne te fait descendre
dès l'époque de Jeunesse en sa cave, qui est très téné-
breuse et sombre. Travail et Douleur l'hébergent, ils
la lient et la mettent aux fers, et tant la battent et la
tourmentent qu'ils lui mettent sous les yeux sa mort
prochaine et lui font désirer de se repentir... » (v. 4477-
4497). L'imagination de Jean de Meun excelle à
concrétiser ainsi, à animer en petites scènes dramatiques les motifs les plus traditionnels de la morale.
On est même surpris de voir surgir, dans le cours
d'un récit mythique comme celui qui expose le passage
de l'Age d'or à l'Age de fer (v. 9463 et suiv.), un
cortège de personnifications plus « modernes », susci-
tées presque imperceptiblement par l'usage médiéval
d'employer les substantifs abstraits sans article. Mais
une série de verbes d'action et de prédicats concrets
donnent naissance au thème métaphorique qui va
se développer logiquement, reprenant à son compte

la thèse explicative, et figurant l'enchaînement des causes historiques : « C'était alors l'amour sans calcul, personne ne demandait rien à l'autre, quand Barat vint lance sur feutre, ainsi que Péché, et Male Aventure, qui n'ont cure de Satisfaction. Orgueil, qui dédaigne son semblable, et Convoitise et Avarice, Envie et tous les autres vices firent alors sortir Pauvreté de l'enfer où elle était restée si bien que personne ne la connaissait (elle n'avait jamais été sur terre) » (v. 9496-9508). Le déterminisme psychologique va se traduire par une généalogie (« Pauvreté amena son fils Larcin »), et la fondation des sociétés humaines sera figurée par l'action de ces mauvaises créatures (« car Avarice et Convoitise ont mis au cœur des hommes la grande ardeur d'acquérir des biens »). En dehors de l'intrigue centrale, et à l'intérieur même des discours, le lecteur a donc la possibilité de suivre de véritables petits spectacles imaginaires, souvent riches en couleurs. Car l'auteur excelle à décrire un personnage : « Faim demeure en un champ pierreux où ne croît ni blé, ni buisson, ni broussaille... Faim, qui n'y voit ni blé ni arbre, en arrache les simples herbes de ses ongles tranchants, de ses dents dures... Elle est grande et maigre, lasse et faible, elle est en grande disette de pain d'avoine; elle a les cheveux hérissés, les yeux creux enfoncés dans les orbites, le visage pâle et les deux lèvres desséchées, les joues tachetées de rouille... » (v. 10122-10138). Ainsi Jean de Meun rivalise avec Guillaume de Lorris (ici avec son portrait de Pauvreté), non sans succès quand il faut mettre en relief la misère humaine.

Le danger de cette virtuosité, dans la création allégorique, pourrait être l'incohérence. C'est d'ailleurs l'écueil sur lequel échouera plus d'une œuvre baroque, ultérieurement. Dans une œuvre qui se veut didactique l'inconvénient est plus grave que la simple faute de goût. Il ne faut pas que la disparité des systèmes métaphoriques fasse éclater la logique de l'ensemble. A ce danger inhérent au tempérament de l'écrivain, s'ajoute ce qu'on pourrait appeler la déviation de l'aventure. Car dans toute l'histoire que nous raconte Jean de Meun, on s'éloigne considérablement du symbolisme originel, celui que résument l'image de la rose et le thème de la quête. Toute l'action va tourner, en effet, autour de Bel Acueil emprisonné dans le château. Ce déplacement d'intérêt, c'est bien entendu Guillaume de Lorris qui en est partiellement responsable. Dans la mise en scène du château, construit par Jalousie pour enfermer Bel Acueil, il ne savait plus trop que faire de la rose ; il s'était contenté de planter ses rosiers dans la cour intérieure, ce qui n'est pas très satisfaisant puisque l'ordre spatial contredisait la hiérarchie des notions. Mais on devine pourquoi son successeur a concentré son effort narratif sur Bel Acueil. C'est que son imagination fonctionne mieux avec des personnages qu'avec des symboles. Sa création est de forme plus théâtrale que poétique. Conséquence imprévue : Bel Acueil devient l'interlocuteur privilégié ; il concurrence même en ce rôle de disciple l'amoureux dont il est en quelque sorte le double féminin, ou plutôt masculin-féminin, par un caprice de la grammaire qui a donné le genre masculin au mot *accueil*. Et toute l'action épico-burlesque de l'allégorie ne tend qu'à cette délivrance. En effet le dénouement de la quête amoureuse ne dépendait que de l'acceptation par la jeune fille des propositions de l'amant. Le rôle des personnifications allégoriques s'arrête en même temps que prend fin la délibération psychologique, elle-même sous-jacente à la *disputatio*, au conflit idéologique dont Jean de Meun a nourri son enseignement (au vers 21315).

Cette conception, au fond très philosophique et même intellectualiste de l'amour, puisque aboutissant à un libre choix de la volonté, fait du livre tout autre chose qu'un *traité d'éducation sexuelle*, au sens pratique et scientifique que nous donnons aujourd'hui à cette expression. Reste il est vrai la conclusion, les 435 derniers vers, où l'accumulation de métaphores obscènes suggère, avec quelque redondance, l'union charnelle. Avant de développer plus ou moins grossièrement la métaphore de la défloration, comme pour justifier par un tel aboutissement sa prétention à terminer l'œuvre de Guillaume de Lorris, Jean de Meun a cependant laissé parler d'autres images, qu'on peut juger également obscènes, mais qui sont plus révélatrices de ses intentions profondes. La parodie de la religion, qui sert ici à désigner les organes sexuels, relève de la tradition estudiantine et goliardesque : l'auteur emprunte, semble-t-il, au domaine le plus frelaté de la littérature grivoise. Et pourtant, en fonction de ce qui précède, du culte de Nature, du sermon de Genius en faveur de la procréation, les métaphores parodiques se trouvent revalorisées comme par un effet de renversement. Autrement dit, le mélange de mysticisme et de sexualité ne semble pas destiné simplement à faire rire. Au-delà de l'effet burlesque, qui frappe un lecteur moderne à première vue, on se demande si l'auteur ne cherche pas à exprimer une conviction philosophique. Ce culte phallique, brutalement affiché en conclusion de longues discussions sur l'amour, les femmes, le mariage, le plaisir sexuel, non seulement est en accord avec le sens qui se détache de tout le mouvement discursif, mais encore rejoint le message de bien des religions. C'est évident pour les religions païennes auxquelles on se sera souvent référé dans le cours de l'ouvrage, et que représente jusqu'au dernier épisode de l'allégorie la déesse Vénus venue semer l'émoi sexuel chez la jeune fille. Mais l'auteur ne nous suggère-t-il pas qu'un tel culte, loin d'être en contradiction avec le christianisme, en rejoint, en célébrant la vie, la vocation essentielle ? Avant de se rallier à une telle hypothèse, le lecteur moderne tiendra à mieux étudier les idées du livre dans son ensemble. Mais il faut déjà reconnaître que le jeu des images, des métaphores, de l'allégorie dans son déroulement trop saccadé pour être aisément suivi par l'imagination, trop mêlé pour convaincre d'emblée l'intelligence, nous entraîne comme malgré nous vers d'inquiétantes conclusions. Car au total, ce langage sert admirablement l'enthousiasme parfois séduisant, parfois encombrant d'un auteur qui parle comme un authentique visionnaire. Oui, on pourrait définir ainsi respectivement l'allégorie chez les deux auteurs qui ont écrit le *Roman de la Rose :* chez le premier nous avions affaire aux délicates images d'un contemplatif, chez le second nous sommes submergés par les images délirantes d'un visionnaire.

Cette vision allégorique sert de support et de lien aux grands discours. De ce point de vue, on peut encore noter une différence fondamentale avec Guillaume. Chez lui, en effet, on pouvait considérer les discours comme un ornement de l'allégorie. Avec Jean de Meun, c'est l'inverse, et les discours, non seulement par leurs proportions, mais par leur contenu même, représentent le cœur de l'ouvrage. N'allons pas croire, cependant, qu'il y ait deux styles opposés dans ce texte, car on trouve des éléments narratifs et allégoriques à l'intérieur des discours eux-mêmes. Ce qui est remarquable, c'est la préférence évidente de l'auteur pour ce qu'on peut appeler l'ordre du discours : pour sa mise en scène (fiction d'un personnage qui parle), pour sa rhétorique (avec des effets oratoires), pour sa logique (y compris les ruptures qu'apportent les digressions). Mettons à part les discours de moins de deux cents vers, comme le discours de Richesse (v. 10041-10237), ceux d'Amour adressés soit à l'amoureux, soit à ses barons, soit à Faux Semblant (v. 10289-10408; 10464-10648; 10954-10968). Ces « brèves paroles » s'intègrent aisément au drame allégorique. Mais il n'en va pas de même avec les six grands discours longs de 1000 à 3000 vers : discours de Raison (v. 4199-7198, soit 3000 vers); discours d'Ami (v. 7207-9912, soit 2706 vers); discours de Faux Semblant (v. 11061-11946, précédé d'un sermon de 75 vers, soit au total

960 vers); discours de la Vieille (v. 12710-14648,
soit 1938 vers); discours de Nature (v. 16699-19375,
soit 2676 vers); discours de Genius (v. 16264-16676
et 19475-20637, soit au total 1574 vers).

Donc sur les 17722 vers composés par Jean de Meun,
12854 font partie de longs discours. Les 4868 vers
qui restent nous ramènent à des proportions proches
de la première partie (4028 vers) avec à peu près
autant de petits discours. On peut donc dire que
l'*amplification* de l'allégorie par Jean de Meun est
essentiellement fondée sur l'insertion de longs discours
dans la trame allégorique.

Ce changement de présentation est riche de conséquences. Il substitue à l'initiation par la figuration
allégorique un enseignement de type oral, qui peut
s'inspirer à la fois des pratiques scolaires ou universitaires et des habitudes du sermon clérical. Parallèlement l'amoureux, qui avait auparavant l'attitude
assez humble d'un candidat à quelque initiation,
prend maintenant l'allure plus désinvolte d'un
étudiant. Le dialogue avec Raison, qui a l'avantage
de relancer l'exposé, et d'en souligner les articulations,
précise ce caractère estudiantin de notre interlocuteur.
Il est avide d'apprendre : « Ha! Dame, par le roi
des anges, apprenez-moi... » (v. 5290-5291). Il présente
de sérieuses et savantes objections, citant Cicéron
et Socrate (v. 5345-5403). Un moment, c'est comme
un dialogue platonicien qui s'ébauche à propos
d'Amour et de Justice : « Mais si tu cherches une
sentence véritable, la bonne amour est préférable. —
Prouvez-le. — Volontiers. Quand vous trouvez deux
choses qui sont convenables, nécessaires et profitables,
celle qui est la plus nécessaire est préférable. — Dame,
c'est vrai. — Alors, considère bien ici le fait que
la nature respecte les deux. Ces deux choses, en
toute circonstance, sont nécessaires et profitables.—
C'est vrai. — Donc il en résulte qu'il vaut mieux
la plus profitable » (v. 5458-5470). Enfin le jeune
homme ne craint pas de se montrer choqué par

le langage de Raison : « Mais je vous ai entendu
prononcer ici, il me semble, un mot si effronté et
si fou que qui voudrait, je crois, perdre son temps
à vous excuser ne pourrait trouver d'argument »
(v. 5670-5675). Le dialogue avec Amour confirme
la condition de ce disciple. Après lui avoir fait réciter
les dix commandements, Amour lui parle comme
un prêtre à un catéchumène : « Ma foi, tu sais bien
ta leçon, je n'en ai plus aucun doute » (v. 10382-
10383). Ajoutons que le jeune homme réclame des
explications en français, et non en latin (v. 5810).
Le style parlé donne donc une couleur particulière
au didactisme de l'œuvre, un tour pratique plus
que poétique.

Si l'on considère maintenant le contenu des discours,
on voit que le style parlé libère l'éloquence, que
la composition allégorique et d'autres procédés
poétiques avaient tendance à tenir en bride. D'où
une exploitation plus étendue des ressources de
la rhétorique. On peut même dire que la composition
de ces longs discours, avec pour seule discipline
celle de l'octosyllabe à rimes plates, marque une
date dans l'adaptation de la rhétorique latine à
la langue française. Celle-ci se révèle apte à soutenir
le rythme oratoire, et même à alimenter un vaste
système périodique dont le discours de Nature fournit
un exemple remarquable. Alan Gunn a pu faire
ainsi une analyse du texte en relevant les figures
de rhétorique mises en œuvre dans le processus
d'*amplification*. C'était réagir utilement contre l'impression de désordre qui avait déconcerté les lecteurs
modernes. Car il est vrai que l'abondance verbale
a pour effet d'obscurcir la démonstration telle qu'un
lecteur cartésien la souhaite. Mais Jean de Meun
ne cherche pas à nous convaincre selon les lois du
raisonnement mathématique. Il développe des points
de vue, avec pour premier souci d'apporter, pour
ainsi dire, de l'eau au moulin du personnage qui
a la parole. Technique qui est en parfait accord

avec le principe d'un débat entre personnifications.
Plus profondément, cet enrichissement en apparence
verbal mais aussi, nous le vérifierons, culturel, est
en harmonie avec le schéma du développement
vital : le bourgeonnement et l'épanouissement de
la rose en sont en quelque sorte le symbole, et l'apologie
de la fécondité en est bien la philosophie. Il y a
donc une certaine harmonie esthétique entre le
langage et le sujet de l'œuvre, le changement de
style par rapport à la première partie accompagnant
un changement de thèse.

Si l'on veut définir avec plus de précision ce style,
il faut tenir compte de deux procédés : l'énumération
et la digression. L'énumération est la démarche
attendue d'un auteur qui compose une *somme*.
Elle coïncide avec l'esprit de classification dans
l'organisation des discours qui, comme ceux de
Raison et d'Ami, cherchent à envisager divers aspects
de l'amour et les situations qui en résultent. Mais
c'est surtout le discours de Nature qui, à tous les
niveaux, pratique une énumération parfois soulignée
par la répétition d'une même formule. Le cadre
général de son exposé est marqué par l'*expeditio* :
« Je ne me plains pas de... » qui ouvre six développements passant en revue l'univers entier (étoiles,
planètes, éléments, plantes, poissons et oiseaux,
bêtes rampantes, v. 16771-18990). A cette énumération
des êtres on oppose l'homme, dont la définition est
l'objet d'une autre énumération, beaucoup plus
concise : « Mais seul l'homme, à qui j'avais fait tout
le bien en mon pouvoir, seul l'homme à qui je fais
porter le visage dressé vers le ciel, seul l'homme
que je forme et fais naître en la propre forme de
son maître, seul l'homme, pour qui je peine et travaille,
etc. » (v. 18991-18997). Dans le détail des développements on retrouve enfin l'énumération de mots,
comme lorsque l'auteur envisage toutes les pratiques
qui raccourcissent la vie : « ...par trop dormir, par
trop veiller, trop reposer, trop travailler, trop engrais-

ser, trop maigrir (car on peut pécher en tout cela), par trop longtemps jeûner, par ramasser trop de plaisirs, par trop vouloir l'inconfort, trop se réjouir, trop se lamenter, par trop boire, trop manger, etc. » (v. 16975-16983). Ainsi l'idée que l'excès en tout est dangereux se trouve non seulement illustrée, mais suivie, sinon dans toutes, du moins dans de très nombreuses manifestations. Système de pensée fort différent de celui que traduit la métaphore filée : car celle-ci se déploie selon une progression logique, tandis que l'énumération poursuit un inventaire des objets.

La digression joue un rôle encore plus important. Au lecteur moderne elle apparaît comme un élément plutôt négatif, comme une défaillance du système de composition. L'esprit médiéval y manifeste au contraire sa puissance et sa spontanéité créatives dans ce qu'elles ont parfois de meilleur, en tout cas de plus original. L'esthétique de la digression nous montre en effet le mouvement le plus profond de la pensée, ce qui se situe au plus près de la vie personnelle et de la réalité concrète. C'est ce qui fait équilibre au conceptualisme un peu excessif, à l'arbitraire de l'ordre scolastique. Car en face des constructions arithmétiques, géométriques, ou plus simplement classificatrices, il y a place pour ce que nous appellerions aujourd'hui l'inspiration. Le meilleur exemple en serait donné par le plainchant, dont le rythme « inspiré » s'oppose aux combinaisons numériques qui définissent les autres genres musicaux. Mais citons un autre exemple plus proche de Jean de Meun (car il en dérive) : le *Testament* de Villon, que chacun connaît, est marqué par de longues digressions où s'expriment la passion et la ratiocination du poète à l'intérieur de la parodie, nécessairement structurée, d'un legs testamentaire. Il convient donc de suivre avec attention ces méandres du discours, ces démarrages de la pensée en marge du fil logique, fil que l'on finit toujours par rejoindre :

preuve que ces divagations sont finalement sous
le contrôle du narrateur.

Remarquons, d'abord, le soigneux agencement
de certains discours ainsi soumis aux perturbations
de l'éloquence libre. Nous avons affaire, dans le
discours d'Ami, à une composition concentrique
de thèmes emboîtés : le thème du mensonge ou
de l'hypocrisie encadre deux développements sur
la cupidité, qui eux-mêmes encadrent deux développements sur l'Age d'Or, de part et d'autre du fabliau
du mari jaloux, avec au centre les exemples de
Lucrèce et d'Héloïse :

DÉBUT				THÈME	FIN			
7303				Mensonge et hypocrisie				9864
	7857			cupidité			9649	
		8325		Age d'Or		9496		
			8425	mari jaloux	9462			
			8531	Lucrèce, Héloïse	8802			

La même disposition emboîtée se retrouve dans
le discours de la Vieille, dont les regrets encadrent
l'art d'aimer (v. 12970-14426) : au « *Lasse! por quoi
si tost naqui* » (v. 12845) fait écho « *Ha! lasse! ainsinc
n'ai ge pas fet* » (v. 14427). Mais cette pratique de
la parenthèse se vérifie à l'échelle de la période,
voire de la phrase. Ainsi la période qui va du vers 12731
au vers 12769 introduit entre la proposition hypothétique : « *...se je fusse ausinc sage...* » et la proposition
principale : « *j'eüsse or plus vaillant...* » la description
de la femme en sa jeunesse et un résumé de sa vie
à cette époque-là.

Le style parenthétique n'est pas dû à la rhétorique
de tel ou tel personnage. Il semble refléter la manière
propre de l'auteur. Ainsi quand celui-ci parle en
son propre nom, s'excusant de ne pouvoir décrire
Nature, il interrompt cette intervention d'auteur,
qui rompt elle-même le récit (v. 16004-16218), par

un retour éphémère à cette narration où il évoque
les plaintes de Nature (v. 16119-16134). On peut
voir là un certain maniérisme qui cherche à rompre
les lieux communs, les *topi* insérés dans le texte.
Au lieu d'en suivre le développement jusqu'au bout,
l'auteur les fragmente pour les mêler plus intimement
au contexte. On pourrait analyser un tel procédé
de fragmentation par digression dans le long discours
de Nature. Dans l'ensemble sa composition est plus
soumise au mouvement de la rhétorique classique
que le reste de l'œuvre. On peut même y voir la
disposition d'une phrase dilatée à l'extrême : « Je
ne me plains pas de..., ni de..., *etc.*, mais je me plains
de l'homme à Dieu, qui jugera » (v. 16699-19375).
Dès le début, la phrase : « *Cil Diex, qui de biautez
habonde* » est interrompue au septième vers par
un résumé de la création du monde. Sur le plan
grammatical, en ce cas, la digression se traduit
par l'anacoluthe, le raccord étant marqué par une
reprise du sujet : « *Cil Dex meïsmes* (v. 16738) ! L'allusion au mouvement des astres amène une longue
étude de la liberté opposée au déterminisme (v. 17071-
17696). L'auteur en est parfaitement conscient,
et il s'en explique, disant qu'il en parlerait davantage
mais que le thème l'entraînerait trop loin ; tout
en s'excusant il ne peut s'empêcher de reprendre
la discussion sur la liberté, jusqu'au moment où
il fait dire à Nature : « Mais pour poursuivre mon
idée, dont je voudrais m'acquitter aujourd'hui,
je ne veux plus rien dire sur ce sujet pour le moment.
Je reviens en arrière aux cieux dont je parlais »
(v. 17845-17850). L'évocation de l'arc-en-ciel provoque
bientôt une autre digression sur les miroirs et sur
les visions jusqu'au prochain « raccord », au vers 18484 :
« *mes a mon propos me retrai* ». On retrouve le sujet,
pour une cinquantaine de vers, et c'est une nouvelle
digression sur la noblesse jusqu'au vers 18866. A
la limite il devient difficile de distinguer les divisions
d'une pensée, logiquement organisée, des digressions

provoquées par des associations d'idées plus ou moins spontanées. Ce qui rend plus sensible, et plus surprenant, pour le lecteur moderne, la fragmentation de la pensée, c'est la perturbation qu'elle apporte au fil de l'éloquence. Le mouvement oratoire est sans cesse contrarié par le mouvement de la curiosité intellectuelle, qui appelle à la lecture de nouveaux chapitres du savoir.

Car cette mosaïque du discours reflète l'état des connaissances et l'organisation même de la culture, qui a un ordre et une logique sous l'apparent caprice de la mémoire. Et d'abord, dans ses grandes lignes, la répartition de l'enseignement entre les diverses personnalités allégoriques peut répondre à la division intellectuelle de l'Université. Non qu'on reconnaisse, chez les différents « professeurs » de l'école amoureuse, les matières du *quadrivium* soigneusement distinguées : elles se mêlent dans le discours de Nature, en particulier. Mais il y a tout de même une certaine spécialisation des discours, et le jeune homme, comme l'étudiant du xiiie siècle, doit subir tour à tour leur leçon. Le narrateur, qui joue ce rôle d'élève, intervient parfois comme pour évoquer l'atmosphère des universités. Il pose des questions, nous l'avons vu, pour mieux comprendre : « Je vous prie de me donner une définition d'amour, afin de mieux m'en souvenir, car jamais je ne l'ai entendu définir » (v. 4343-4345). Loin de subir passivement l'enseignement, il est entraîné à la discussion. Au fond, la doctrine de Jean de Meun bénéficie des innovations de ce qu'on appellera la scolastique.

On se fait, de nos jours, une idée sommaire de cet enseignement scolastique. En fait il s'agissait d'assouplir et de moderniser le cadre trop rigide du *trivium* et du *quadrivium*. Cette division reste, dans son principe, à la base du *cursus* : on étudie d'abord la grammaire, la rhétorique et la logique *(trivium)* dans ce qu'on pourrait appeler un premier cycle des facultés des Arts. Dans le *Roman de la*

Rose ce premier enseignement est donné par Raison, qui consacre de longs développements à des définitions et à une critique du langage. Mais la scolastique va mettre l'accent sur la dialectique, science du raisonnement qui servira à la découverte de la vérité par la pratique. La mise en question des *autorités* dans la *disputatio*, qui fait la nouveauté de cette dialectique, trouve ici son apprentissage dans le dialogue avec Raison. Elle doit permettre à l'élève de former lui-même son jugement devant les affirmations diverses et parfois contradictoires des *autorités* : et c'est bien ce qui explique la « neutralité » de Jean de Meun, qui donne successivement la parole à des personnages qui ne peuvent avoir en même temps raison. Parallèlement la scolastique a d'abord encouragé l'expérimentation, avant de se scléroser dans la théorie et la nomenclature ; les enseignements d'Ami et de la Vieille, l'intervention de Faux Semblant peuvent se justifier ainsi. Enfin la modernisation du *quadrivium*, second cycle d'études à la faculté des Arts, se marque notamment par l'adjonction de la physique à l'arithmétique, la musique, la géométrie et l'astronomie : cet enseignement est assez bien figuré par le discours de Nature, où des exposés de physique, telle qu'on la conçoit à l'époque, viennent se mêler à la théorie astronomique. Ce n'est qu'après la faculté des Arts qu'on entre à la faculté de Théologie, dont la leçon est ici donnée par le confesseur de Nature, Genius.

Les allusions de Jean de Meun aux querelles de l'université de Paris prouvent, d'autre part, qu'il en connaît bien le milieu intellectuel. Qu'il ait pris parti pour Guillaume de Saint-Amour contre les Jacobins, comme l'avait fait Rutebeuf, le situe nettement dans la bataille, sans qu'on puisse en tirer des conclusions sévères sur son traditionalisme, opposé aux novateurs : on sait combien, à toutes les époques, les affirmations des « modernes » peuvent faire illusion. Quoi qu'il en soit, Jean de Meun dénonce

les ambitions des ordres mendiants en termes qui
sentent bien le jargon universitaire :

> Mes ja ne verrez d'apparance
> conclurre bone consequance
> en nul argumênt que l'en face,
> se deffaut existance efface;
> tourjorz i troverez soffime
> qui la consequance envenime,
> se vos avez soutillité
> d'entendre la duplicité (v. 12109-12116);

c'est-à-dire : « Jamais vous ne verrez tirer une bonne
conclusion de la seule apparence en aucun raisonnement, si quelque défaut met en question l'existence;
vous y trouverez toujours un sophisme qui corrompt
la déduction, si vous avez assez de subtilité pour
deviner la duplicité. » Ce qui commente en un langage
bien pédant le proverbe : « L'habit ne fait pas le
moine ! » Sans être une « somme » scolastique, le
Roman de Jean de Meun est construit avec les matériaux de l'école.

Le style universitaire l'emporte donc, dans les
discours, sur celui des sermons et homélies : style
de clerc, c'est-à-dire de lettré plutôt que style clérical,
au sens moderne, c'est-à-dire d'Église. Toutefois
les derniers discours ne sont pas aussi éloignés de
la littérature religieuse que ceux de Raison, Ami
et la Vieille. Déjà la première intervention de Faux
Semblant a mis en œuvre, pour d'évidentes intentions
parodiques, le vocabulaire religieux, sans toutefois
respecter les procédés de la prédication. Dans le
cadre de la confession, le sermon de Contrainte
Abstinence à Male Bouche respecte-t-il les lois du
genre ? Il suit plutôt la *disposition* de la rhétorique
(v. 12149-12220). Il débute par une maxime générale,
la sentence : « La vertu première c'est de refréner
sa langue ». Ensuite l'accusation : « Sur tous autres
péchés, vous êtes coupable de celui-là. » Puis la
narration apportant le fait qui fonde cette accusation :
« Vous avez dit que... » Vient alors l'argumentation

qui doit fournir la preuve de la culpabilité. On s'interroge sur les motifs : « Qui vous a poussé à lui nuire? » On réfute ceux invoqués par la partie adverse. On fait l'inventaire des dommages. Et la conclusion appelle à la justice pour un châtiment mérité. Le genre du plaidoyer efface celui du sermon. Male Bouche réplique en effet pour se défendre, et Faux Semblant prend alors la parole pour réfuter cette défense. Sa démonstration, sa « preuve » comme dit Jean de Meun, débute par une sentence qu'il convient de gloser : « Tout ce qu'on dit n'est pas parole d'Évangile » (où l'on devine un anti-sermon, qui parodie l'habituelle citation biblique glosée par le prédicateur). Mais l'argumentation nous conduit à une conclusion qui réclame aussi le châtiment : « Vous avez donc bien mérité la mort. » Intéressant mélange des genres religieux et judiciaires, caractéristique non seulement des ambiguïtés de la rhétorique au XIIIe siècle, mais aussi de l'évolution de la culture : en face de la culture proprement cléricale, celle des gens de justice, plus laïque, cherche sa propre personnalité. Jean de Meun hésite-t-il entre la faculté de Droit (de *Décret*) et la faculté de Théologie?

Le discours de Nature témoigne aussi de cette ambiguïté. Elle prend en effet la parole pour confesser à son chapelain Genius une folie dont le repentir la tourmente :

> D'une folie que j'é fete,
> dont je ne me sui pas retrete, (sortie)
> mes repentance mout m'ampresse,
> a vos me veill fere confesse (v. 16261-16264).

Et Genius lui répond qu'il est prêt à entendre sa confession, à la conseiller, et à lui donner l'absolution. Il y a d'ailleurs un bel exemple de digression dans ces premières paroles de réconfort, en développant le thème de l'indiscrétion et du bavardage des femmes, tout en précisant : « Je n'ai pas dit cela pour vous »

(v. 16671). Mais la confession de Nature prend vite l'allure juridique d'une plainte, le verbe *pleindre* étant même, nous l'avons vu, la seule charnière de ce grand discours (je ne me plains pas du ciel, des planètes, *etc.*, mais seulement de l'homme). Le repentir a fait place à l'accusation, celle-ci étant soutenue par une argumentation très riche et parfois très rigoureuse (notamment quand il s'agit d'établir la responsabilité de l'homme). Il est vrai que c'est un appel au jugement de Dieu qui termine cet acte d'accusation. Mais on ne sait plus si c'est le langage judiciaire qui est métaphore de la pensée religieuse, ou le langage religieux qui sert de décor au jugement moral. Finalement cette dualité du langage est caractéristique de l'allégorie amoureuse. La fiction du dieu Amour combine les éléments d'une culture hétérogène et mouvante. Le rôle des discours est justement de donner une certaine cohérence, une certaine logique à cette matière disparate. Le sens du poème ne se révélera donc que par l'analyse de ces discours, de leur logique propre et de leur dialectique dans l'ensemble de l'œuvre. Il est tout de même significatif que le dernier discours soit un sermon de Genius présenté avec humour : « Je veux ma parole abréger », dit Jean de Meun, « car souvent celui qui prêche, quand il ne se dépêche pas, fait fuir son auditoire en parlant avec trop de prolixité » (v. 19441-19446). L'orateur prononce une sentence d'excommunication contre ceux qui n'obéissent pas à Nature, puis il tente de la justifier. La mort est évoquée. Puis il donne ses instructions aux amoureux, précisant qu'il faut apprendre par cœur ce sermon. C'est ensuite l'évocation du Paradis, qui attend les serviteurs fidèles du dieu Amour. Et le discours se termine sur un résumé de cet enseignement. L'abondance des métaphores, dans tout ce texte, les paraboles, l'argumentation logique accompagnant la description du Paradis, font penser à une imitation du style des docteurs en théologie.

Reste à déterminer dans quelle mesure cette imitation est une parodie. Pour en juger, il faut apprécier d'abord la mise en œuvre, apparemment sérieuse, des connaissances. Car ce livre, comme l'affirme son auteur, semble écrit pour communiquer, avec un enseignement pratique (l'art d'aimer), un certain nombre de renseignements qui en justifient les principes. Par les monologues et les dialogues c'est la totalité d'un savoir, une culture qui se livre à nous, fragment par fragment. Les artifices de l'allégorie organisent, systématisent les différents discours, qui eux-mêmes rassemblent dans un ordre, ou du moins une succession repérable, les éléments divers de ce savoir. Simple compilation, ou soigneux montage? Il y a, dans cette œuvre, un jeu de miroirs qui nous donne une image déconcertante, parce que morcelée, de l'homme et du monde. Mais le lecteur moderne peut réapprendre à lire les anciens livres de science avec les yeux et la mentalité d'autrefois.

En évoquant le cours des études, tel que le définissait encore l'université du XIIIe siècle, avec son *trivium* et son *quadrivium*, les facultés des Arts, de Droit et de Théologie, nous suggérions une autre répartition des connaissances qu'aujourd'hui. Dans le détail des ouvrages publiés alors, en latin ou plus rarement en français, ce qui nous surprend c'est le découpage en petits chapitres, conçus comme les réponses aux questions que le lecteur peut poser au maître, sans lien logique, ou répondant à *notre* logique. De nos jours il n'y a plus guère que quelques manuels, conçus pour des intelligences rudimentaires (certains traités de préparation militaire par exemple), qui sont encore rédigés avec cette disposition en *réponses* à des questions faisant le tour d'un problème au lieu d'en déduire le raisonnement par une exploration méthodique. Il faut penser à cette présentation de la *sapience*, et à la casuistique qui donne sa marque aux traités de morale, pour comprendre ce qu'apporte à son lecteur le travail de Jean de Meun. Ce n'est pas le découpage, mais le montage des connaissances qui caractérise son talent et peut nous éclairer sur ses intentions. Il faut comprendre le soin apporté à l'*insertion* dans les discours des citations, des traductions, des exemples, anecdotes, petites scènes dramatiques, et de toutes les allusions historiques et littéraires. L'inventaire de ce savoir composite n'est pas terminé, tant s'en faut. On peut en évoquer quelques aspects.

La citation, qui restera la base de la culture humaniste (songeons à la place que lui réservera Montaigne), est déjà chargée de transmettre la sentence des sages qui font autorité. Ce qui manque encore, c'est le respect philologique des anciens textes : on ne se soucie ni de la lettre, ni du contexte. C'est l'idée que l'on retient. Mais on tient à la conserver :

> Bon fet retenir la parole
> quant ele vient de bone escole,
> et meilleur la fet raconter (v. 19889-19891).

Culte de la parole biblique dont Genius, en l'occurrence, s'inspire pour persuader son auditoire de diffuser son enseignement. Mais, plus largement, goût pour la parole des maîtres, quels qu'ils soient. Notre habitude de commenter les « pensées » des grands auteurs ne fait que prolonger celle, toute médiévale, de gloser les *auctores*. Par exemple Jean de Meun cite, en les développant un peu, les vers de Virgile : « *Qui legitis flores et humi nascentia fraga,/Frigidus, o pueri, fugite hinc, latet anguis in herba* » (*Bucoliques*, III, 92-93). Chez notre auteur c'est Genius qui met ainsi en garde contre la perversité des femmes :

> Fuiez, enfant, fuiez tel beste...
> ... et notez ces vers de Virgile,
> mes qu'en voz queurs si les sachiez
> qu'il n'en puissent estre sachiez (retirés) :
> anfanz qui cueilliez les floretes
> et les freses fresches et netes,
> ci gist li froiz sarpanz en l'erbe (v. 16553-561).

Et sur sa lancée le prédicateur improvise une variation de trente-quatre octosyllabes faisant un sort à la métaphore du serpent venimeux, pour conclure : « Aucune herbe ni aucune racine ne peut rien contre ce venin, fuir est la seule médecine » (v. 16585-16586). Il faut noter, au passage, le ton enjoué de ce savant exercice. L'autorité de Virgile couvre ici une tirade satirique contre les femmes. Il semble que ce thème antiféministe soit particulièrement nourri de citations : Ovide, Juvénal, Virgile (en forçant souvent le texte), sont invoqués plus d'une fois en renfort de la thèse antiféministe qui doit beaucoup, aussi, à la tradition cléricale. Mais la Vieille, qui semble donner la réplique à cette thèse, invoque à son tour Horace :

> Et qui vodroit Horace croire,
> bone parole en dit et voire (vraie),
> car mout sot (sut) bien lire et diter,
> si la vos vueill ci reciter, (je veux vous la)
> car sage fame n'a pas honte
> quant bone auctorité raconte (v. 13887-13892).

Et l'auteur cite alors quatre vers de la troisième *Satire* d'Horace souvent censurés par les éditions scolaires (107-110), et faisant allusion aux batailles dont est responsable le sexe féminin (il emploie un mot plus grossier). Évidemment, ce pédantisme n'est pas à prendre au sérieux : il faudra nous rappeler ce rôle comique de la citation savante au moment de porter un jugement sur la « philosophie » de l'œuvre.

Toutes les citations sont données en traduction. C'est en effet à un lecteur qui ne sait pas le latin que s'adresse Jean de Meun. On peut alors se demander si une des fonctions de l'œuvre n'est pas de mettre à la portée d'un public ignorant des lettres latines un savoir plus accessible aux clercs, et peut-être même déjà vulgarisé dans les milieux universitaires. Ce qui n'exclurait pas, au besoin, des intentions parodiques, ou en tout cas des effets comiques d'autant plus faciles que l'on isole références et citations de leur docte contexte universitaire ou clérical. Mais n'allons pas imprudemment faire du *Roman de la Rose* une grande machine burlesque cherchant à bafouer la science officielle. Les choses sont plus complexes.

Certains passages ne s'expliquent que par la volonté de communiquer au lecteur de larges extraits de textes retenus pour l'intérêt des idées qui y sont présentées. Jean de Meun a visiblement pris plaisir à traduire des œuvres qu'il aime, pour diverses raisons, comme le *De Consolatione* de Boèce, le *Policraticus* de Jean de Salisbury, le *De Planctu Naturae* d'Alain de Lille, le *De periculis* de Guillaume de Saint-Amour, outre les *Métamorphoses* et l'*Art d'aimer* d'Ovide. Rappelons que l'auteur annonce (au vers 5007) et publiera effectivement une traduction de Boèce. La traduction est certainement le travail le plus nécessaire au développement des connaissances, au Moyen Age. Certes le xiiie siècle ne conçoit pas encore cette tâche comme les humanistes de la Renaissance, dont le plus grand mérite est d'avoir, en suivant l'exemple d'auteurs comme Pétrarque, établi les règles fondamentales de la philologie. Pour qui a sous les yeux le texte latin d'Alain de Lille, il est difficile de suivre la version qu'en donne Jean de Meun aux vers 16699-16770. L'idée générale est bien mise en lumière, mais les détails sont très différents, sans qu'on puisse invoquer pour expliquer l'écart les difficultés de rendre le latin en français. Là où Alain de Lille met l'accent sur l'équilibre des contraires dans la composition du monde, Jean de Meun insiste sur la hiérarchie des sphères concentriques. On sent des influences, des interférences d'autres penseurs, Boèce, Macrobe, Chalcidius (commentateur du *Timée* de Platon).

L'auteur utilise librement ce qu'il a trouvé dans d'autres livres, résumant, ou traduisant de près, mêlant ses propres idées, celles de grands philosophes,

ou s'effaçant pour laisser parler directement celui
qu'il met en français. Les idées sont à tout le monde
et le docte prend son bien dans tous les livres, sans
souci de rendre fidèlement aux auteurs ce que nous
pensons leur appartenir, sinon pour invoquer leur
nom et leur prestige contre le soupçon d'être une
tête faible ou un mauvais esprit. Mais on a aussi
des cas tout différents où la référence à l'auteur
ancien vient confirmer une idée qui peut paraître
chrétienne. Ainsi Nature, voulant expliquer qu'elle
n'a pu donner elle-même l'entendement à l'homme,
que seul Dieu, le Créateur, a pu lui faire ce don,
invoque le témoignage de Platon d'après Chalcidius.
Elle commence par en résumer la pensée : « Platon
lui-même en témoigne, quand il parle de ma besogne
et des dieux, qui ne craignent pas la mort. Leur
créateur, dit-il, les garde et les soutient éternellement
par son seul vouloir... C'est le roi, c'est l'empereur
qui dit aux dieux qu'il est leur père, ceux qui lisent
Platon le savent bien, car telles sont ses paroles,
ou du moins en est-ce la substance selon le langage
de France » (v. 19033-19038, 19047-19052). Notons
cette dernière restriction : le traducteur va nous
donner la *substance* d'un livre. En fait il reprend
son exposé avec une version du *Timée* plus fidèle
au texte de Chalcidius : « Dieu des dieux, dont je
suis l'artisan et le père... » (v. 19053-19082). On
sent Jean de Meun attentif à rendre certaines subtilités
philosophiques : « Vous êtes mes œuvres, par nature
périssables, mais par ma volonté éternelles » (« *opera
siquidem vos mea, dissolubilia natura, me tamen
ita volente indissolubilia* »). Ce qui ne l'empêche
pas d'insister plus que son modèle sur la personnalité
de Nature qui met tout son zèle à fabriquer des
êtres durables, mais en vain, et sur celle de Dieu
« *...forz et bons et sages sans per* ». Traducteur d'un
traducteur, il peut donc bien redire, après cet effort :

> C'est la santance de la letre
> que Platon voust ou livre metre (v. 19083-19084).

Mais il ne s'en tient pas là; car aussitôt après il cherche à juger les mérites de Platon par rapport aux philosophes païens et chrétiens. Platon dépasse les premiers par l'idée de Dieu, mais il n'a pas su comprendre le mystère de la Trinité :

> C'est li cercles trianguliers,
> c'est li triangles circuliers,
> qui an la vierge s'ostela (s'hébergea) (v. 19107-19108).

On voit ici combien la différence de culture, ou plus exactement l'opposition des cultures, rend difficile le travail du traducteur et improbable la naissance d'un véritable esprit humaniste. C'est bien en termes du xiiie siècle qu'il faut définir la sapience de ces discours et la sentence de cette allégorie que nous propose Jean de Meun. D'ailleurs, aussitôt après cette référence à Platon, les *Bucoliques* de Virgile sont mentionnées pour la prétendue annonce de la naissance du Christ (allusion au passage : « *Jam nova progenies caelo demittitur alto* », IV, 7). Les connaissances que le *Roman de la Rose* met à la disposition du lecteur ne sont pas, en elles-mêmes, originales par rapport au savoir de l'époque.

La technique de la référence et de la glose tend, comme dans toute la tradition médiévale, à isoler des « exemples ». Autrement dit, elle tend non pas à commenter philosophiquement une sentence établie philologiquement, mais à rappeler une sagesse illustrée par une anecdote ou simplement attachée à la figure, au nom d'un personnage illustre. L'insertion de l'exemple nourrit l'exposé d'un savoir traditionnel et stéréotypé. Miroir, si l'on veut, le texte propose au lecteur des modèles, des images exemplaires de l'humanité dans ce qu'elle a de meilleur et de pire. Le magasin aux exemples n'est pas inépuisable. On peut souvent retracer l'histoire de son économie à partir des textes de Cicéron, Virgile, Ovide et plus récemment Sénèque, découpés pour fournir des thèmes de réflexion. Et l'isolement des passages ainsi retenus

fait que leur usage est souvent fantaisiste, parfois paradoxal. Ainsi quand Ami veut prouver qu'il n'y a pas
de femmes vertueuses, il raconte l'histoire de Lucrèce,
qui s'est suicidée pour avoir été violée par Tarquin. Le
récit de Tite-Live est inséré dans un développement
antiféministe emprunté à l'auteur satirique Gautier
Map. Non que Jean de Meun ait compris l'anecdote à
contresens. Il en donne une interprétation qui, pour
être inexacte, n'est pas totalement absurde : « Elle vou-
lut donner cet exemple pour rassurer les femmes, afin
que toute personne coupable de les avoir violentées
fût passible de la peine de mort » (v. 8613-8616).
En fait le lien, artificiel, avec le contexte satirique
apparaît bientôt : « Mais il n'y a plus de Lucrèce,
plus de Pénélope... » (v. 8621-8622). De Pénélope,
il n'a cité que le nom; l'histoire de Lucrèce occupe
une soixantaine de vers.

Le récit est donc plus ou moins riche, selon les
intentions ou simplement le goût de l'auteur. L'histoire
d'Adonis est aussi racontée en une soixantaine de
vers (15645-15720); cette fois ce sont les *Métamorphoses* d'Ovide qui fournissent la substance. Il est
probable que notre auteur se sent mieux inspiré
quand il dispose d'une source plus précise et plus
littéraire qu'une simple compilation d'*exemples*. Mais
le raccord avec le discours et l'allégorie peut alors
être plus acrobatique. C'est le cas de notre histoire,
pour laquelle il faut inventer une morale de circonstance
sans grand rapport avec la mise en scène où elle
trouve place : « Beaux seigneurs, quoi qu'il advienne,
souvenez-vous de cet exemple. Vous qui ne croyez
pas vos amies, sachez que vous agissez très follement »
(v. 15721-15724). Mais la nécessité d'abréger interdit
de raconter toutes les histoires que l'on connaît.
Pour illustrer les inconvénients du bavardage féminin,
thème fort riche, Genius se contente de résumer
l'anecdote de Samson et Dalila :

> Mais n'an veill plus d'examples dire,
> bien vous peut uns por touz soffire (v. 16659-16660).

Au total, ces *exemples* ont deux fonctions différentes. D'une part, ils servent d'autorité pour soutenir et souligner une affirmation, un jugement, une thèse, surtout s'il s'agit d'un point de vue paradoxal ou agressif. Dans une intervention d'auteur, Jean de Meun s'en explique : « Dames honorables, s'il vous semble que je dis des fables, ne m'en tenez pour menteur, mais prenez-vous en aux auteurs qui ont écrit en leurs livres les paroles que j'en ai dites » (v. 15185-15190). Ces références ont donc une fonction persuasive, liée au respect pour les grands auteurs. D'autre part, associés qu'ils sont à certaines idées, à certains mythes, les exemples tendent à constituer par leur retour, leur symétrie et parfois leur contraste, un système culturel particulier. La composition des discours, présidant à cette répartition et à cette récurrence des idées, traduit la volonté de présenter une *sapience* dont l'autorité n'exclut pas l'originalité. Car l'ordre des livres consultés par l'auteur, l'ordonnance de son savoir reçu, se trouvent bousculés par la fragmentation et la répétition. La mise en discours transforme les matériaux recueillis par la lecture en thèses successivement développées. Mais cette cristallisation du savoir en thèses est traversée par les lignes de constance dans le retour des thèmes, où s'affirment les préoccupations, les obsessions, les mythes personnels de l'auteur. Ainsi les exemples liés au thème de Fortune apparaissent dans deux développements de Raison, dans le discours d'Ami, dans celui de Faux Semblant, et dans celui de la Vieille. Le mythe de l'Age d'Or est évoqué par Ami, Faux Semblant, la Vieille, Genius. Citations, traductions, exemples sont remaniés. Le poète semble s'en excuser timidement : « Je ne fais rien que répéter, sinon quand j'ajoute quelque parole, comme se le permettent entre eux les poètes, chacun tirant à son gré sa matière » (v. 15204-15208). En fait son rôle est beaucoup plus décisif. Il nous faut lire avec attention ses discours, non seulement pour

y déchiffrer le système idéologique qui s'inscrit dans une sorte de dialectique, mais aussi pour y reconnaître la mythologie personnelle qui se trahit dans les défauts ou les subtilités de cette dialectique.

L'allégorie de Jean de Meun, puissamment animée et amplifiée par la machine oratoire des grandes personnifications, est au service d'une entreprise de persuasion plus ambitieuse, plus violente, plus insidieuse aussi que celle ébauchée par Guillaume de Lorris. Pour celui-ci, il s'agit essentiellement de faire passer le lecteur — s'identifiant avec le narrateur (amoureux) du songe — par toutes les phases d'une initiation essentiellement passive. Le lecteur de Jean de Meun est au contraire arraché à cette passivité. Il lui est difficile de croire qu'il rêve, alors qu'on le fait discuter avec une logique exigeante. Il ne peut plus s'identifier avec l'amoureux, alors que la Vieille s'adresse à lui comme à Bel Acueil, c'est-à-dire une instance féminine. Et même, d'une façon plus indirecte il est vrai, la Vieille fait allusion à son public comme constitué de femmes : « Mais je sais bien qu'elles me croiront, au moins celles qui seront sages, et elles resteront fidèles à nos règles, et diront maintes patenôtres pour mon âme, quand je serai morte » (v. 13461-13465). La confidence de Nature est en principe destinée à Genius. Celui-ci, dès le vers 16547, s'adresse aux « beaux seigneurs » où nous pouvons reconnaître les gens de l'armée d'Amour, mais nous comprenons qu'à travers eux c'est l'ensemble du genre humain qui est interpellé. C'est seulement à la fin que le lecteur est de nouveau invité à se confondre avec le narrateur; mais il hésitera peut-être à s'identifier avec notre inquiétant pèlerin, mi-Genius, mi-Faux Semblant, pour la phase finale des opérations amoureuses !

Retour à l'image, après tous ces longs discours. La dernière scène de l'allégorie nous indique-t-elle que Jean de Meun attend de nous une herméneutique, comme Guillaume de Lorris? A plusieurs reprises il a, dans ses discours, opposé la lettre et la glose. Ainsi lorsqu'il expose le songe de Crésus expliqué par Phanie, la révélatrice « *...qui tant estoit sage et soutille/qu'el savoit les songes espondre* (expliquer) ». Ou bien lorsqu'il fait faire par Faux Semblant une exégèse de l'Évangile (v. 11575-11580), puis de l'*Évangile Éternel* composé par Gérard de Borgo : « Je vous ai dit l'écorce du sens, qui dissimule l'intention ; maintenant je veux exposer la moelle » (v. 11828-11830). Mais dans ces deux cas l'exégèse fait partie d'une fiction que l'auteur ne prend pas à son compte. Plus intéressantes pour définir son projet seraient les deux allusions qu'il fait à une explication du songe commencé par Guillaume de Lorris (v. 10573-10574, 15116-15117). Mais on peut penser que cette explication nous est finalement donnée par les deux, qui sont comme la glose des récits allégoriques, et que ceux-ci n'ont nul besoin d'une autre exégèse, sauf pour les obsédés du mystère qui chercheront toujours un sens plus caché derrière celui que donne le simple raisonnement. Si la première partie du *Roman de la Rose* est relativement occulte, la seconde, au contraire, déborde d'explications. Où l'on retrouve le contraste entre le *trobar clus* et le *trobar ric* des poètes méridionaux.

En fait Jean de Meun semble justement poussé par la volonté, et le vertige, de *tout dire*. Il veut dans son livre tout comprendre, tout embrasser, tout faire savoir : « *Car il fet bon de tout savoir* » (v. 15184). Il souffre devant l'impuissance de l'art à reproduire l'infinie variété de la vie (v. 16005-16034). Et à maintes reprises il s'excuse de ne pouvoir tout énumérer, tout raconter, surtout quand il donne la parole à Nature, bavarde comme une femme, mais qui a tant de choses à dire : « Je parlerais davantage des destinées, je préciserais les notions de fortune et de hasard, et je voudrais bien tout expliquer, faire encore des objections, y répondre, et je citerais maints exemples ; mais il me faudrait trop de temps

avant d'en terminer » (v. 17697-17703). A cet appétit
de savoir correspond une grande confiance dans
la connaissance pour guider les êtres humains. L'auteur
en tire même une maxime de conduite qui bouleverse
les principes de l'éducation et de la morale. En
effet, à la fin du livre, Genius encourage les jeunes
gens à multiplier les expériences amoureuses : « Il
fait bon tout essayer » (v. 21521); il faut goûter
à tout pour être un vrai connaisseur. Il faut même
goûter à ce qui est mauvais, connaître et découvrir
le mal : « Qui n'aura essayé le mal ne saura jamais
grand-chose du bien » (v. 21533-21534). Et c'est
sans doute pourquoi il a donné la parole à tout le
monde, même aux prostituées : l'amour vénal ne
fait-il pas partie du monde? On songe à Baudelaire,
et au symbolisme des *Fleurs du Mal*.

Logique hardie, qui se fonde sur la discussion,
sur la contradiction du pour et du contre, du bien
et du mal, et non sur la pure déduction, dont il
fait pourtant l'éloge (v. 6597). Son livre oppose
donc les thèses et les idées, non seulement Amour
et Raison, mais Ami à la Vieille, Richesse à Pauvreté,
etc. Déchiffrer le livre, c'est d'abord tenir compte
de ces couples antithétiques, des « *contreres choses* ».
A la rhétorique difficile de l'allégorie symbolique
(ornatus difficilis) il a préféré celle de la *disputatio*
(ornatus facilis). Il rend à chacun sa raison, et
d'abord aux femmes, jeunes, vieilles ou déesses.

Mais l'essor de la dialectique se fait au détriment
de la foi dans les mots. La présence du mensonge
dans le langage exclut désormais la confiance. Notons
le rôle important joué par les menteurs et les sophistes
dans cette dialectique. Mais le doute va plus loin.
Car s'il rend hommage au pouvoir de la rhétorique
(v. 16168), il montre l'arbitraire des mots dont
on se sert pour désigner les choses. L'argumentation
de Raison, à propos du nom grossier dont elle a
désigné les organes génitaux, est plus sérieuse qu'il
ne semble au premier abord. On croit avoir affaire

à une parodie du nominalisme, mais la conclusion reste valable, et même essentielle pour comprendre l'œuvre de Jean de Meun : Dieu n'a pas fait les mots, mais les choses (v. 7089-7092). Inutile de souligner la désaffection du *verbe* que cela implique. N'allons pas croire que Jean de Meun soit heureux du scepticisme et des sophismes qui en résultent. Il semble au contraire hanté par le pouvoir du mensonge, par l'écran d'illusion qui nous entoure, par l'impuissance du langage à saisir la réalité. Et dans le mouvement même de son style, dans la truculence de son vocabulaire où foisonnent les expressions triviales, dans la démesure de sa syntaxe, nous devinons l'effort pour dépasser l'inanité du langage vers l'authenticité de l'être.

Comme toujours chez les grands auteurs, en même temps que se construit la pensée et que se développe l'œuvre, une certaine conception du langage cherche à se définir chez Jean de Meun. Dans la lutte entre les mots et les choses, il y a une fausse valeur du langage que finalement il abandonne : c'est la richesse. Car la profusion du verbe, comme celle de l'argent, n'est pas dépourvue d'efficacité : la preuve en est donnée par le pouvoir qu'elles exercent toutes deux sur les femmes. Mais un tel pouvoir est éphémère, dangereux, illusoire. A la fausse richesse Jean de Meun oppose la valeur de la fécondité. Ce n'est certainement pas un hasard si la discussion nominaliste de Raison porte sur le mot « *coilles* », risqué dès le vers 5507, dont on rapproche le mot « reliques », annonçant la dernière métaphore du livre, où il désigne les organes féminins. Facétie de goliard? Faisons, certes, la part du rire. Mais l'histoire de Saturne et de Jupiter, le mythe de la naissance de Vénus, le mythe de l'Age d'Or constituent un thème directeur, et représentent peut-être une obsession de l'auteur. La castration de Saturne par Jupiter, évoquée au début de la continuation, est de nouveau commentée à la fin du livre, où l'on

voit d'ailleurs réapparaître le même terme trivial
sous une autre forme (v. 20006-20010). On comprend
évidemment le rapport du mythe avec une théorie
de l'amour prônant la fécondité. Crime qui retranche
l'homme de la nature, qui fait de lui un pervers, une
femme sous des apparences d'homme, un menteur
prêt à faire toutes les « diableries » (v. 20035). Cette
inauthenticité de l'eunuque, Jean de Meun y songe
quand il cite Pierre Abélard, le grand linguiste,
qui fut victime du même attentat : passage où réapparaît cet étrange « mot clef » (v. 8766). En tout cas
le mari jaloux, à qui Ami donne la parole, rapproche
cette infortune de l'inauthenticité du mariage,
à quoi Abélard a eu la faiblesse de se vouer contre
l'avis d'Héloïse elle-même. Pour notre clerc la parole
est l'équivalent symbolique de l'activité sexuelle
(témoin le châtiment de Male Bouche).

La nostalgie de l'Age d'Or, de sa fécondité naturelle, hors de tout lien social, anime tout le texte
de Jean de Meun. Son langage cherche à retrouver
l'innocence de la parole primitive, qu'elle va chercher
dans les vieux mythes. Discours au fond antisocial,
hostile à toutes les formes de castration qu'impose
la société, source de malice et de mensonge. Ne
cherchons pas à édulcorer la virulence subversive
de ces discours. Mais n'en dramatisons pas la signification. Nous n'avons pas affaire aux délires d'un
schizophrène. Cet homme violent rêve d'un paradis
qui assure l'éternité dans la plénitude : il nourrit
d'exemples mythiques sa nostalgie de l'être. Cet
écrivain passionné sait mêler le rire à ses plus sérieux
discours : de toutes les formes d'enseignement il
a choisi la plus socratique, l'ironie.

L'ENSEIGNEMENT IRONIQUE 5

L<small>A</small> littérature médiévale pratique aussi bien l'ironie que l'allégorie. Les grammairiens de l'époque ont senti la parenté de ces deux élaborations du style par la rhétorique : l'allégorie dit autre chose que ce qu'elle semble dire, l'ironie dit le contraire. Logiquement, celle-ci est la limite du mouvement dessiné par celle-là : le transfert d'un registre du langage à un autre registre aboutit à un renversement complet du sens. Littérairement les choses sont plus complexes. Car l'ironie prend l'aspect d'une parodie par rapport à la tradition littéraire. En un sens elle détruit ce que construit un genre littéraire correspondant. Ainsi au xiiie siècle l'ironie peut se présenter comme une parodie de l'allégorie, dont elle serait, en dernière analyse, la négation. Certaines *branches* du *Roman de Renart* sont une parodie de la chanson de geste; les plus récentes aventures du goupil, comme *Renart le Nouvel* et le *Couronnement de Renart*, prépareront le genre de *Fauvel*, où l'allégorie est au service de la satire (début du xive siècle). La formule littéraire se trouve déjà dans l'œuvre de Jean de Meun : une partie de son *Roman de la Rose* se présente comme une sorte d'allégorie satirique.

Cette orientation se vérifie à la fois dans la perspective des procédés formels (avec notamment le portrait de personnages caricaturaux), et dans celle des thèmes, puisque la variété des vices dont on peut se moquer reste limitée. On peut même dire que la tradition satirique, dont nous suivons aisément le cheminement continu au moins depuis l'Antiquité latine, s'est cristallisée autour de quelques lieux communs. Cet héritage donne une solide unité à la morale occidentale, malgré diverses oppositions idéologiques et religieuses. Mais plus profondément encore il faut considérer un courant socratique de la philosophie occidentale, dont la spiritualité se fonde sur la critique des discours. En face de la rhétorique du mensonge et de l'illusion, qui se développait à l'époque des sophistes, Platon cherchait une dialectique de la vérité. De la même façon, alors que le développement de la culture favorise l'art de la persuasion au XIIIe siècle, les écrivains satiriques cherchent à perfectionner un art de la dissuasion, encouragés par le moralisme et la théologie de l'époque qui s'opposent aux « abusions » du monde et d'une société plus que jamais tributaire de la parole avec l'essor de l'économie bourgeoise.

L'idée d'un Moyen Age ironique déconcerte un peu; on verrait plutôt cette époque comme vouée aux généreuses illusions de la foi, voire de la naïveté. La difficulté est de reconnaître le rôle, comme les limites, de l'ironie dans des textes où naturellement n'existe pas toujours un signal approprié. Le rire des fabliaux ou la raillerie des chansons légères sont facilement identifiables. Mais il faut bien avouer que l'ironie peut échapper totalement à l'analyse; ce fut parfois le cas chez les lecteurs du *Roman de la Rose*. Récemment, par réaction et excès de passion, on s'est engagé dans une voie opposée, en cherchant partout de l'ironie. Non seulement il faut disjoindre, et juger à part Guillaume de Lorris et Jean de Meun, mais chez ce dernier il faut distinguer l'ironie d'un contexte qui obéit à un dynamisme plus enthousiaste. Il n'est pas sûr que l'ironie nous donne, chez lui, le dernier mot. S'il ne faut pas prendre pour argent comptant toutes les déclarations des personnages qui ont scandalisé les lecteurs, alimenté les querelles et provoqué des erreurs d'interprétation, il ne faut pas non plus s'imaginer que tout le songe n'est qu'un cauchemar, et que l'allégorie ne nous présente que l'erreur à éviter. La valeur de l'ironie est d'autant plus grande qu'elle s'insère dans un projet philosophique et littéraire plus vaste et plus varié. Il est imprudent de considérer Jean de Meun comme un prophète du naturalisme sur la foi de quelques tirades lancées par des personnages comme Ami ou la Vieille, mais il est aussi abusif de vouloir le mettre en accord avec la théologie la plus orthodoxe, en prétendant qu'il ne croit à rien de ce qu'il fait dire à d'autres personnages comme Vénus ou Genius. Si son ironie est philosophique, c'est dans la mesure où elle intervient comme moment d'une dialectique, ou comme moyen d'une démonstration. Or justement, à son époque, la scolastique enseignée à Paris met l'accent sur l'armature logique du jugement dans le cadre de la *disputatio*. Le dialogue entre le maître et l'élève est une sorte de conflit dont l'issue est déterminée par la rencontre et la mise en évidence des contradictions. L'ironie est une certaine manière d'utiliser la contradiction. Elle traduit, dans le débat, une agressivité qu'il est intéressant pour nous d'interpréter. C'est pourquoi son rôle dans le *Roman de la Rose* ne relève pas seulement de la logique, mais aussi de la psychologie, l'intérêt d'une œuvre littéraire de cette ampleur étant de fournir un abondant matériel à une telle analyse.

Il faut partir du désespoir où se trouve plongé l'amoureux, au moment où Jean de Meun reprend son récit. Le texte apparaît alors, nous l'avons dit, comme une tentative de consolation. Cette fonction est ici confirmée par l'*ordre du jour* qu'Amour adresse à ses troupes : « Je veux prendre avec vous une décision ...pour que ce pauvre Guillaume, douloureux, qui s'est si bien conduit à mon égard, soit secouru et réconforté » (v. 10625-10630). Dans ce programme consolateur, l'ironie ne peut tendre à détruire l'amoureux, à discréditer tout ce qu'il représente. Mais c'est un remède dur et efficace quand il s'agit de libérer l'esprit de ses fausses conceptions. On va tenter de soigner le mal par le mal, le désespoir par le malaise intellectuel que suscite la prise de conscience de ses contradictions. C'est la méthode qui convient à un enseignement qui ne se veut pas dogmatique, mais pratique. La vérité doit apparaître progressivement, par élimination des erreurs. L'amoureux est au départ bloqué, prisonnier de sa foi aveugle en l'amour, de l'endoctrinement sommaire qui lui a fait apprendre par cœur, comme un catéchisme, ses commandements : son attitude butée apparaît bien devant Raison, qui essaie de le morigéner. L'échec de ce premier avertissement va justifier le recours à un autre genre d'éducation, tirant cette fois la leçon de l'expérience. Mais n'oublions pas que chaque épisode vécu par l'amoureux intervient comme un moment dans l'enseignement du lecteur. Ce que perçoit et comprend ce dernier ne se confond pas avec ce dont le personnage est conscient. Il y a donc deux niveaux de l'enseignement : l'un correspond au dialogue de l'amoureux avec ses différents interlocuteurs; l'autre à l'impression globale que nous retirons de la lecture. L'ironie ne se manifeste pas également à ces deux niveaux. Elle peut, d'abord, échouer à faire prendre conscience par l'amoureux lui-même de son erreur. Mais elle définit surtout le rapport que Jean de Meun cherche à établir avec son lecteur, à travers le dialogue imaginaire qu'il a composé. Il est évident que le rôle de l'amoureux, dans cette relation de l'auteur avec son lecteur, n'est plus le même chez Jean de Meun que chez Guillaume de Lorris. L'auteur a pris ses distances par rapport au prétendu narrateur (d'ailleurs identifié comme étant Guillaume, au vers 10628). L'ironie peut donc s'exercer plus librement à l'égard de

ce dernier. Ce n'est pas à dire qu'il faille le sacrifier
à la raillerie. Les nuances de l'ironie suivent les
lignes directrices d'une pensée qui se construit à
l'intérieur de l'allégorie et sous le masque des interlocuteurs. Ce sont elles qui donnent un relief original
aux matériaux du savoir rassemblés dans ce livre
comme dans une « somme ».

La provenance de ces connaissances accumulées
nous renseigne sur le rôle qui leur est assigné. En
effet, si une part importante des « sources » livresques
est constituée par les œuvres sérieuses et surtout
par les poèmes allégoriques d'Alain de Lille, un
autre domaine très exploité est celui de la tradition
comique et satirique. Malgré quelques interférences
dans une œuvre aussi longue, le *Roman de la Rose*
ne confond pas les rôles de ces deux héritages culturels.
On a remarqué que l'allégorie et la philosophie
sérieuse ont inspiré surtout le début du texte de
Jean de Meun, avec le discours de Raison, et à la
fin, à partir du discours de Nature. Les œuvres
satiriques, au contraire, règnent sur les épisodes
intervenant au cœur du récit. C'est là, en effet, que
le rire se fait le plus accentué; et cet accent pourrait
bien correspondre à un moment calculé de la dialectique animant l'ensemble du *Roman*. L'enseignement
ironique prédomine avec les personnages d'Ami,
de Faux Semblant et de la Vieille. L'appel au rire
dans les autres passages est moins évident, sans
être exclu d'avance, la difficulté essentielle d'interprétation apparaissant avec les discours de Nature
et surtout de Genius. Faut-il que le lecteur se moque,
ou doit-il se satisfaire de ce que dit le chapelain
de Nature? La solution de ce problème crucial est
sans doute préparée par tout ce qui précède. L'ordre
du récit et du dialogue n'est pas indifférent à la
signification. Il faut distinguer le rire provoqué
par le discours d'Ami, la raillerie qui entoure Faux
Semblant, les sarcasmes de la Vieille, des sourires
qui viennent ensuite éclairer les discours de Nature

et de Genius. Il y a là deux « couleurs » du style qui s'opposent à la fois par les thèmes et par leur destination.

A l'intérieur du premier style, celui du rire le plus fort, les traditions littéraires diverses définissent des attitudes différentes. Il est évident que le comportement du mari jaloux, tel que nous le décrit Ami, appartient au genre comique le plus trivial, celui du fabliau ou de la farce. Des critiques se sont pourtant laissé surprendre et ont voulu attribuer à Jean de Meun lui-même les thèses de ce personnage ridicule. De même les idées de la Vieille dérivent d'un ancien type comique d'entremetteuse, peu flatté par les auteurs; ses propos ne sont donc pas à prendre comme une édifiante leçon.

En général il ne convient pas de séparer les idées reçues de leur contexte satirique. Autrement dit le *Roman de la Rose* de Jean de Meun n'est pas composé avec des idées pures, avec des concepts, mais avec des fragments de texte. La signification de son œuvre s'élabore non pas comme raisonnement abstrait, mais comme une composition de morceaux choisis gardant dans leur nouvel encadrement leur qualité littéraire. Les emprunts à Ovide, à Horace, à Juvénal, les références à des auteurs plus récents comme Jean de Salisbury ou Gautier Map, doivent être appréciés en tenant compte de leur fonction satirique. Telle idée sur la cupidité ou le mensonge des femmes fait partie d'un thème antiféministe qui sert au libertinage d'Ovide, ou à la raillerie truculente de Juvénal (*satire* VI contre le mariage). Le sens de la satire antique a pu se perdre; elle risquait en tout cas d'échapper au lecteur médiéval. Mais ce qui devait certainement être perçu, c'est la valeur satirique que les clercs du Moyen Age avaient donnée, en fonction de leur culture, à ces thèmes hérités de l'antiquité. Ainsi le *Policraticus* de Salisbury reprenait une tradition remontant à Théophraste, mais en la nuançant des impressions données par

la lecture de saint Jérôme. De même la *Dissuasio*
de Gautier Map, reprenant les idées de Juvénal,
conseillait au prétendu philosophe Rufinus de ne
pas se marier, en tenant compte des préjugés de
l'Église contre les femmes. En résumé l'enseignement
qui s'élabore dans le *Roman,* à partir de thèmes
satiriques anciens, est influencé par la culture cléricale
du Moyen Age. La *sapience* de la satire comporte
donc des éléments antiques et des éléments médiévaux;
mais elle aboutit à une philosophie originale dans
l'œuvre de Jean de Meun.

Le recours à la tradition satirique trahit en effet
un choix délibéré. L'auteur n'entend pas s'enfermer
dans l'idéologie qui règne dans les œuvres dites courtoises. Non que celles-ci ignorent le rire et le sourire.
M. Ménard a écrit une thèse importante pour
démontrer le contraire. Mais, encore une fois, Jean de
Meun n'emprunte pas des idées ou des procédés
abstraits, il utilise des textes littéraires où s'affirme
ce qu'il faut bien appeler une culture anticourtoise.
Cette attitude n'est pas facile à apprécier, car elle a
dû être commune à des milieux intellectuels assez
divers. Chez les clercs, en particulier, soit par doctrine
religieuse, soit par moralisme intègre, soit par jalousie
sociale, soit enfin par rancune particulière, l'opposition
à l'idéalisme officiel s'affirme de plus d'une manière.
Pour être la plus spectaculaire la révolte des Goliards
n'est pas la plus significative. La satire n'est pas
l'apanage des groupes antisociaux. On ne peut la
tenir pour une manifestation de paganisme ou de
naturalisme, ni pour un trait de bourgeoisie. Elle
peut être une manifestation d'extrémisme religieux.
Elle ouvre en tout cas le procès de la société, dont elle
conteste les valeurs en cours; mais le sens de cette
opposition, la nature des propositions que prépare
cette critique, peuvent varier considérablement selon
les tempéraments et les convictions des écrivains.

Chez Jean de Meun tout se complique du fait que
la satire entre, selon des modalités variables, dans la

parodie de l'allégorie et dans les discours. On ne peut tirer aucune conclusion immédiate des différents thèmes ridiculisés. Ami se moque des femmes, la Vieille se moque des hommes, les deux critiques s'annulent. Le mari jaloux dit des femmes : « *Toutes estes, serez et fustes,/de fet ou de volenté, pustes* » (v. 9125-9126). Excès de langage d'un personnage ridicule : l'accusation est discréditée. Mais la Vieille, qui ressemble au portrait que ce mari fait de sa belle-mère (« *L'orde vieille putain fardee* », v. 9311), semble confirmer par son récit et ses proclamations (« *toutes por touz et touz por toutes* », v. 13856) le diagnostic sévère du jaloux. Et les conseils de tromperie qu'elle donne à Bel Acueil, représentant la jeune fille, tout en s'opposant aux conseils de même nature qu'Ami donne à l'amoureux, finalement renforcent la vision pessimiste de la comédie amoureuse.

Si l'on cherche à faire un bilan de la satire on ne peut simplement additionner et soustraire les affirmations et les négations. Car le plus souvent le rire marque d'un signe ambigu les déclarations qu'il souligne. Le ridicule n'efface pas complètement les récriminations dont Ami se fait l'écho sarcastique. On est tenté de mettre tout cela au compte du nihilisme, en supposant que, somme toute, Jean de Meun ne croit en rien, qu'il n'a pas de thèse à démontrer, qu'il cherche seulement à discréditer la nature humaine en recueillant tout le mal que les écrivains en ont dit. Toute la partie centrale du *Roman*, des vers 7201 à 14516, est assurément balayée par un souffle quasi satanique, ou du moins sarcastique. C'est d'ailleurs là que va triompher Faux Semblant, cette *figura Diaboli*, chef-d'œuvre de l'allégorie satirique. Mais cette vision satirique et infernale de l'humanité n'est pas définitive. Elle sera suivie d'une vision utopique et paradisiaque. L'ambiguïté de la satire est finalement la conséquence de la dualité de l'homme. Ce que l'auteur a cherché, dans cet héritage suspect de la littérature, c'est une certaine connais-

sance de la matérialité, l'équivalent d'une physio-
logie ou d'une psychologie positiviste. En ravalant
l'amour à la sexualité, la vision comique attire notre
attention sur un aspect de la vie humaine censuré
ou oublié par la littérature épique, lyrique ou romanesque. Et ce regard jeté sur les erreurs et les fautes
à quoi nous pousse l'amour physique peut servir. Le rire
n'est pas une absolution. Il souligne la dénonciation
d'un mal que l'on tenait caché.

La comédie dénature l'allégorie, soit dans les discours des personnifications (avec des tirades comme
celle de notre médiéval Sganarelle, v. 9041 et suiv.)
soit dans la peinture des actions (l'attentat contre
Male Bouche est raconté d'une manière burlesque).
Mais cette métamorphose d'un genre noble par le
rire sert des dessins plus subtils. Car Jean de Meun,
s'il se laisse volontiers entraîner par sa matière
comique, est un ironiste et non un « farceur ». La perfection de ce style ironique est sans doute à chercher
dans la profession de foi de Faux Semblant dont
le nom, à lui seul, évoque l'archétype de l'ironie.
Voilà en effet un personnage dont la fonction est de
dire le contraire de ce qu'il faut penser. Il nous faudra
donc étudier avec attention son rôle. Mais il y a aussi
quelque ironie chez Raison, lorsqu'elle fait par exemple
l'éloge de la mauvaise fortune en s'appuyant sur un
long raisonnement, un « argument prouvable » (v. 4818)
qui sent le sophisme. Et c'est aussi avec ironie que
son interlocuteur lui rétorque : « Puisque les amours
ne sont pas bonnes, devrai-je donc haïr tout le
monde? » (v. 4617-4618). Il nous faut donc partir de
Raison pour suivre le fil de la pensée ironique. Son
intention semble se résumer en une série de paradoxes : « Je te démontrerai sans fable chose qui n'est
pas démontrable, et tu sauras sans science et connaîtras
sans connaissance ce qui ne peut être su ni démontré
ni connu » (v. 4249-4254). Le paradoxe est bien la
logique de l'ironiste, et cette annonce qui vise d'abord
le discours de Raison doit mettre l'esprit du lecteur

en alerte. L'avertissement vaut pour tout le reste du livre.

L'intervention de Raison est amenée par le repentir éphémère de l'amoureux : « Raison était bien justifiée de me blâmer pour m'être mêlé d'amour » (v. 4121-4122). Ainsi réapparaît l'antagoniste d'Amour, selon un lieu commun des poètes, et conformément à l'allégorie de Guillaume. Elle pouvait venir tirer un bilan négatif, en constatant l'échec du jeune homme, et en lui faisant reconnaître son erreur. Mais finalement Raison va se montrer impuissante à faire revenir son interlocuteur sur ses vœux amoureux. Certains ont vu en cette impuissance la preuve que l'amoureux allait rester coupable et condamné aux yeux de l'auteur. Et de fait il cesse de jouer dans l'allégorie le rôle de *myste* recevant une totale révélation. Mais d'autre part, on ne peut comprendre le texte sans admettre que Raison a aussi ses limites, et qu'elle n'a pas cette dignité métaphysique qu'on lui prête parfois. Son propre échec est la conséquence de son imperfection et de ses équivoques. Il n'est pas en contradiction avec le rôle que lui confie Alain de Lille dans son *De Planctu* et dans son *Anticlaudianus*, textes dont Jean de Meun s'inspire généralement pour construire son personnage. Le pouvoir de la Raison est fait pour être dépassé.

Toutefois son intervention nous donne les premiers principes; elle marque le départ obligé de la dialectique. D'abord en nous donnant le ton de cette doctrine, avec des questions ironiques : « Que te semble maintenant des maux d'amour?/Sont-ils trop doux ou trop amers? » (v. 4203-4204). Elle définit l'enseignement comme une sorte de libération ou de maïeutique : « Alors je t'aurai dénoué le nœud/que tu trouveras toujours noué » (v. 4259-4260), donnant à plusieurs reprises Socrate en exemple (v. 5817, 6148, 6857). Il s'agit en effet de résoudre les contradictions que fait ressortir la définition de l'amour comme union des contraires, en un long passage

lyrique traduit du *De Planctu* (v. 4263-4310). Ces
« *ris plains de pleurs et de lermes* » sont un scandale
pour la raison. Et contrairement à ce qu'elle annonce,
elle pourra plus aisément en souligner le paradoxe
et en poser les problèmes que les résoudre. Passant
de la poésie d'Alain de Lille à une parodie d'Alain le
Chapelain, on nous fait voir en l'amour une grave
maladie. Puis, d'un point de vue moral, on dénonce
la concupiscence qui fait espérer le seul plaisir charnel
(v. 4570-4572). La passion amoureuse est alors
dénoncée avec une violence qui amène la réaction de
l'amoureux : « *Doi je donques les genz haïr* » (v. 4616),
ironie où Raison voit de la malice (v. 5342).

« Mais quelle forme d'amour est donc autorisée »,
demande l'amoureux. Raison va esquisser un portrait
de l'amour raisonnable. Ce n'est pas l'amour vénal :
l'homme riche n'aime pas vraiment, et il n'est pas
aimé. Il faut chercher du côté de l'amitié, ce qui
annonce le discours d'Ami. Du côté, aussi, de l'amour
désintéressé et général pour le prochain : « *Aime les
touz autant conme un* » (v. 5419), principe dont nous
verrons la perversion chez la Vieille. Il faut chercher
l'équilibre de la sagesse, qui évite la haine et l'avarice,
et s'en tient à un juste milieu : la sagesse défend
l'ivresse, mais n'interdit pas de boire (critique de la
chasteté). Il faut aussi penser à la fonction naturelle
de l'amour, dont les bêtes nous donnent l'exemple,
en deçà de la morale. Ici apparaît la fin de l'amour :
le plaisir n'est qu'un moyen, le but est d'assurer la
propagation de la vie comme le veut la nature. Cette
fonction naturelle, comme celle de manger et de boire,
ne mérite pas les louanges. Mais ce serait mal que de ne
pas s'y appliquer.

Ces divers aperçus sur l'amour en détruisent l'unité.
Cet inconvénient est lié à la nature même de la raison.
D'ailleurs celle-ci ne veut d'amour que subordonné
à elle, amour de la raison. C'est pourquoi elle se propose à l'adoration de l'amoureux (v. 6842). Celui-ci
refuse, non sans logique, car si l'on doit aimer, alors

il faut aimer Amour. Tout ce passage du *Roman* illustre les imperfections de Raison, tout en laissant concevoir son utilité. Les imperfections vont être développées dans les épisodes suivants, qui feront apparaître les perversions de la raison avec Ami, Faux Semblant et la Vieille. Mais l'influence de la raison ne cesse pas avec ce discours. Si le personnage se laisse rabrouer par le jeune homme avec un sourire entendu, c'est que l'amour lui semble être une faute de jeunesse. Or justement cette idée introduit dans le débat la notion de temps, et avec elle, la relativité des choses de la vie. L'amoureux rejette les lectures, les réflexions, les « gloses » de Raison à plus tard (v. 7163-7168). Il est dans l'ordre de la nature humaine que la jeunesse soit vouée à la folie d'Amour et la vieillesse à la sagesse (Jean de Meun en donnera lui-même un bon exemple en écrivant plus tard des œuvres plus austères, comme le *Testament*). Cet enseignement a donc semé des graines qui germeront par la suite, longtemps après l'histoire que nous raconte le livre. Pour le moment la passion suspend la conversion du narrateur.

Mais le lecteur en tire une leçon plus immédiate. Car il apprend à opposer la vision passionnée qui ramène tout au sentiment de l'instant, et la vision raisonnée qui projette l'événement dans la durée. Ainsi l'histoire de l'amour, telle que Guillaume de Lorris en avait entamé le récit, ne concerne qu'un moment de la vie humaine. Tout système de morale, élaboré en fonction de ce seul moment, est sans valeur pour la vie dans son ensemble. Autrement dit l'éthique courtoise n'est qu'un sophisme de la passion, une doctrine de jeunesse qu'il faut remettre à sa place, sans prendre pour authentique son désir d'éternité. Qui donc « aura raison » finalement aux yeux du lecteur? Contrairement à ce qu'on pourrait croire, ce ne sera pas Raison. Ce n'est pas à elle qu'il appartient de nous enseigner le sens de la vie. Elle est là pour dissiper des illusions, tout en laissant subsister des équivoques que la suite du récit va dénoncer. Ici en effet Jean de Meun va s'écarter de son maître à penser, Alain de Lille, exploitant autrement qu'il ne l'avait fait l'idée personnifiée chez le théologien par *Noys*, guide de l'intelligence dans les sphères supérieures de la nature. Nous allons assister aux égarements, sinon de la raison, du moins de ses représentants. Au milieu de cet épisode l'auteur prendra soin de proclamer, par la bouche d'Amour, son attachement à celui-ci et sa méfiance pour Raison : « Puis viendra Jehan Chopinel... qui sera un très sage homme, car il n'aura cure de Raison qui hait et blâme mes parfums » (v. 10535-10543). Nouvel avertissement, un peu plus loin : « mais ne croyez pas Raison » (v. 10622). Reste à se demander à quelle conversion l'auteur nous destine, après la leçon de cynisme qu'il nous inflige dans l'épisode qui suit le discours de Raison. Revenant alors aux textes d'Alain de Lille et lui empruntant son personnage de Genius, il ne pourra plus faire coïncider l'allégorie mystique du théologien avec sa propre dialectique.

Les 8000 vers qui suivent le départ de Raison constituent donc un ensemble, avec les discours d'Ami et de la Vieille, encadrant l'intervention de Faux Semblant. En contraste avec l'idéalisme des propos tenus précédemment, cet épisode est censé représenter une descente, sinon aux enfers, du moins dans la partie la plus basse de la réalité humaine. L'expérience ainsi affrontée va rappeler au lecteur diverses manifestations du vice. La cure de « réalisme » se caractérise essentiellement par la découverte de ce qu'on considère habituellement comme le mal. Mais la façon dont ce mal est exposé peut surprendre. Au lieu d'être l'objet d'une dénonciation indignée, les vices trouvent dans le monde des personnifications d'excellents avocats. Le cynisme de cette présentation exclut tout ralliement précipité au moralisme traditionnel, dont l'attitude va justement être discréditée en la personne du mari jaloux. Mais si le cynisme d'Ami, de Faux Semblant et de la Vieille dépasse ainsi la naïveté du bourgeois jaloux, il est fait lui-même pour être dépassé par l'indignation de Nature et l'enthousiasme de Genius : premier mouvement d'une ample confrontation qui oppose les thèses du mal aux thèses du bien en vue d'une synthèse philosophique.

Considérons d'abord les conseils d'Ami. Ils surviennent après ceux de Raison, selon une logique fondée sur l'éloge de l'amitié par Raison, et sur le schéma initial fourni par Guillaume de Lorris. On s'attend à des conseils de sagesse. Mais le texte apporte un piquant démenti à la confiance témoignée précédemment en ce personnage. Non qu'il veuille trahir les intérêts de l'amoureux, mais sa rationalité pratique renverse les principes de l'idéalisme. L'Ami de Guillaume de Lorris tirait de son expérience vécue des arguments pour rassurer, guider l'amoureux avec des conseils de patience et de diplomatie. Mais avec Jean de Meun ce qui était simple prudence devient égoïsme et libertinage.

Les maximes du personnage explicitent les défauts restés implicites dans l'attitude conseillée aux amoureux courtois. Peu à peu, sous l'humilité de ceux-ci apparaît l'hypocrisie. Même les protestations d'amour « loyale et fine » sont mensongères (v. 7565). Mais l'auteur va, d'après l'*Ars amatoria* d'Ovide, nous exposer l'utilité et la nécessité de la ruse pour parvenir à ses fins. Contre des ennemis comme Jalousie et Male Bouche les armes chevaleresques sont impuissantes. A malin malin et demi (v. 7322). Puisqu'on a affaire à la bassesse des envieux et à l'opinion soupçonneuse, il faut se servir aussi de la tromperie, du *barat* : « *Si sachiez que cil font bone euvre/qui les deceveors deçoivent* » (v. 7312-7313). Le discours d'Ami développe donc les conseils tactiques, à peine esquissés dans l'abstrait par Guillaume de Lorris, en puisant aux sources latines des détails ingénieux et plaisants. Il faut corrompre les proches et les domestiques par

de petits cadeaux, sans excès de largesse. Il faut
inspirer la pitié par des larmes, la confiance par des
promesses. Il faut feindre la souffrance : il n'est plus
question de souffrir vraiment. On aura recours au jus
d'oignon pour jouer la comédie des pleurs avec plus
de vraisemblance. Lettres et messages doivent s'en-
tourer de précautions. Pour tromper les lecteurs
éventuels on pourra, par exemple, intervertir les
sexes (*lui* devient *elle*), sans jamais citer de nom
propre (v. 7457-7480). L'auteur envisage ainsi toutes
les intrigues, ce qui ébauche, sur le plan du possible,
une littérature comique et romanesque. Cela suffit
à marquer d'un signe critique toute la littérature
courtoise, où ces artifices jouent un rôle, sans que l'on
cherche habituellement à en apprécier l'immoralité.
Le cynisme d'Ami apparaît donc comme un progrès
sur l'inconscience de l'amoureux courtois. Le langage
amoureux ne dit jamais la vérité. C'est vrai du langage du séducteur, mais c'est également vrai de la
femme courtisée, dont les refus et les protestations
ne doivent pas faire obstacle, car tout cela masque
un secret désir de céder : « ... maintes personnes sont
coutumières d'avoir des manières si étranges qu'elles
veulent donner par force ce qu'elles n'osent aban-
donner, et feignent qu'on leur prenne ce qu'elles ont
voulu accorder » (v. 7665-7670). On voit que la tradition satirique ouvre des aperçus intéressants sur la
psychologie féminine.

Ce manuel du parfait séducteur laisse, il est vrai,
une impression assez déprimante. L'art de plaire n'est
que mensonge, et dans le manège amoureux ne vont
plus s'affronter que deux masques. Alors que la *fine
amor* prétendait forger la personnalité à l'épreuve du
feu amoureux, on voit ici se dissoudre le personnage
en une comédie légère. L'amoureux transi, nous
dirions, *romantique*, est autant raillé par Ami que
l'amoureux sage. L'un effarouche la dame, l'autre
l'ennuie. Il faut donc, pour réussir, la science d'un
roué.

Cette leçon, parvenue au terme de sa première partie (v. 7765), rencontre l'indignation de l'amoureux : « Doux ami, qu'est-ce que vous dites? Nul homme, s'il n'est un faux hypocrite, ne ferait une telle diablerie ». Mais l'objection est écartée par Ami qui lui démontre que, puisqu'on se bat avec un ennemi aussi déloyal que Male Bouche, on ne peut en triompher que par trahison. Car la calomnie laisse un blâme dont on ne peut se délivrer; il faut l'éviter par le secret, la dissimulation.

Alors Ami entame la deuxième partie de sa leçon. Après l'art de séduire, c'est l'art de garder la femme conquise. Cet enseignement sort du programme défini par Guillaume de Lorris, puisque son application se situe après la cueillette de la rose. Mais l'idée en est donnée par Ovide, dont le second livre de l'*Ars amatoria* sert maintenant de modèle. On exploite donc l'expérience des femmes supposée acquise par Ami, qui a lu aussi Juvénal. Et c'est ainsi qu'est abordé le problème du mariage, thème favori des auteurs satiriques du Moyen Age. L'idée générale est qu'on ne peut invoquer en ménage le principe d'autorité, ou *majestas*, la *seigneurie*, la *mestrise*. La notion même de mariage, telle qu'on la conçoit alors, est donc condamnable. Mais au lieu de démontrer logiquement cette thèse, Ami l'illustre en faisant parler un mari jaloux.

Tout le passage qui suit se présente donc, dans l'ensemble du récit, comme un exemple de ce qu'il ne faut pas faire, mais selon l'opinion d'un personnage qu'il ne faut pas suivre. Au total on ne voit pas tout de suite si ces deux négations valent une affirmation; il est vraisemblable que non, car les inconvénients du mariage sont présentés avec un tel relief qu'on ne pourra pas les oublier. C'est une des premières manifestations des tendances antisociales que cache la philosophie amoureuse de Jean de Meun. Mais outre la société, et ses inévitables contradictions comiques ou dramatiques, c'est la nature humaine, et singulièrement la nature féminine, qui semble prise au piège du mensonge. En tout cas les sophismes du mari ne manquent pas de force logique lorsqu'ils font voir dans la coquetterie, dans la fabrication de la beauté, non seulement un mensonge mais une trahison. La femme ne veut-elle pas plaire à d'autres qu'à son mari, donc le tromper? Jean de Meun a su donner à son personnage comique une grande cohérence, jusque dans sa colère et dans les invectives dont il accable sa partenaire. Nous devinons là cette hantise de l'inauthentique, souvent présente chez notre auteur : obsession non méprisable, apparentée aux meilleures aspirations de la religion pour la vérité et la sincérité.

La critique de la beauté, ainsi présentée sur le mode comique, a une longue tradition philosophique derrière elle. Sans remonter à Platon, on sait que les théologiens du Moyen Age l'ont souvent reprise à leur compte. Mais ici, quand le mari attaque les artifices de la coquetterie au nom de la chasteté (v. 8928), il est clair qu'il se met d'avance en désaccord avec la thèse finale du *Roman de la Rose*. A quoi bon, dès lors, ce portrait pessimiste de la femme par un personnage furibond, dont Ami dira par la suite qu'il est plein de mauvaises intentions (v. 9341)? C'est qu'on apprend à mieux connaître les femmes, malgré tout, une fois faite la part de l'exagération jalouse. Il faut savoir les ruses employées par les femmes pour pouvoir s'en défendre. Et sur un plan plus général, il faut voir combien leur condition les éloigne de la pure nature, soit par faiblesse accidentelle, soit par une malédiction qui aurait quelque chose à voir avec le péché originel. Cet épisode n'est illogique que si l'on prête à Jean de Meun un naturalisme optimiste. Mais il semble bien qu'il nous prépare à admettre une certaine corruption, ou au moins une certaine propension à l'erreur, de la nature humaine.

Au reste, reprise et corrigée par Ami, la scène du mari n'est pas sans offrir une leçon pratique immédiate. C'est que le couple doit respecter la liberté de la femme, le mari se conduisant en *copain* et non en *sire* (v. 9407), même si, dans l'intérêt de son épouse, il doit lui mentir, feindre d'être dupe, fermer les yeux sur ses fautes : « ... qui veut avoir les bonnes grâces de sa femme doit toujours la laisser libre, il ne doit pas la soumettre à une règle stricte ; il faut qu'elle aille et vienne à sa volonté » (v. 9687-9690). Ces beaux conseils, sans peut-être avoir grande importance sur le plan philosophique, laisseront une trace dans l'esprit de celui qui les a lus ou entendus, et serviront à résoudre les difficultés de la vie quotidienne. Car cette exploration de la médiocrité humaine n'a pas qu'une valeur dialectique. Elle fait partie de l'expérience que l'on doit acquérir. Quand on songe qu'un mari confie sa vie à une femme, pendant son sommeil ! Il a intérêt à bien la connaître s'il ne veut pas être empoisonné ou coupé en morceaux (v. 9377) : tel est l'humour noir de notre auteur.

Ami termine ses recommandations en donnant des conseils au mari volage pour tromper tranquillement sa femme. Ovide l'entraîne ainsi plus loin que la logique ne le voudrait. Mais Jean de Meun revient au thème qui lui est cher, celui du mensonge, en rappelant la nécessité de prodiguer aux femmes des éloges sans compter, suggérant par là l'imposture de la poésie amoureuse. Et il donne lui-même l'exemple ironique d'une telle hyperbole : « ... votre rose qui est si précieuse chose que vous ne la céderiez à aucun prix si vous pouviez l'avoir... » (v. 9957-9960). Et l'amoureux, qui décidément n'a rien compris, répète avec conviction qu'on ne saurait lui trouver d'égale.

Ce discours a donc habilement préparé l'intervention de Faux Semblant, dont les gestes nous aideront à comprendre le sens de tout l'épisode satirique. Mais il est intéressant de rapprocher d'Ami le personnage de la Vieille, dont l'enseignement est en somme symétrique de celui que nous venons d'évoquer. Elle a été évoquée dès le vers 7369. Cette vieille entremetteuse n'entre en scène qu'après le premier assaut

lancé contre le château où est enfermé Bel Acueil.
L'élimination de Male Bouche, qu'elle redoutait,
l'action conjuguée de Faux Semblant et d'Abstinence
Contrainte, lui donnent l'occasion de trahir ceux qui
lui ont confié la garde du prisonnier. Hostile aux deux
amoureux, chez Guillaume de Lorris, elle a décidé ici
d'intriguer en leur faveur. Bel Acueil vient d'accepter
une couronne de fleurs, symbole de Largesse et de
Courtoisie, les deux entités qui mènent l'assaut du
château. Le moment est venu de faire profiter cette
personne, jeune et naïve, d'une sagesse acquise par
l'expérience.

L'auteur reprend et complète l'enseignement fondé
sur la tradition satirique. Une nouvelle lecture d'Ovide,
Horace, Juvénal et des auteurs satiriques du Moyen
Age est donc faite en prenant cette fois le point de vue
de la femme. Même savoir, ou même sottise, mais dont
la perspective inversée prête un nouveau relief aux
idées reçues. En donnant la parole à une thèse en
apparence féministe, en prenant pour interlocuteur
Bel Acueil, on risque de disloquer ce qui restait de
cohérence allégorique dans l'aventure racontée. Mais
dans ce désordre le retour des thèmes, la répétition des
idées tendent à constituer le nouveau système de pensée.

La Vieille, c'est d'abord la vieillesse. Comme Ami,
elle représente un visage de la raison, puisque la
sagesse vient avec l'âge. Mais comme avec Ami,
c'est une raison perverse qui s'adresse à nous. Le
topos antithétique jeunesse/vieillesse va lui servir à
fonder ses avertissements. Les joies, les désirs, les
folies de la jeunesse sont cependant l'objet d'un regret
nostalgique, et non d'un repentir. Il faut mettre en
garde les jeunes filles contre l'enthousiasme et les
illusions de l'amour, contre l'imprévoyance qui leur
fait gaspiller les avantages éphémères de la beauté,
contre la tromperie des hommes. Ce sont des conseils
de sagesse, ceux des *Remèdes à l'amour*, mais pris à
contre-sens, puisqu'ils ont pour but de substituer la
malice à la naïveté.

Nous retrouvons à l'origine de cette perversion les deux obstacles rencontrés avec Ami : on préfère la pratique à la théorie, et la relativité du temps à l'absolu des principes éternels. La Vieille raille les prétentions dogmatiques des théoriciens de l'amour qui, comme aujourd'hui les pédants de l'éducation sexuelle, prétendent enseigner ce que seule l'expérience peut faire comprendre. Car l'amour est une école où l'élève enseigne au maître, idée que reprendra Villon. En tout cas la Vieille, comme Ami, fait état de ses aventures qui lui donneraient droit à un enseignement en faculté : « car finalement j'ai assez de science en la matière pour pouvoir lire en chaire » (v. 12785-12787). Ce que donne l'expérience, c'est la connaissance du temps qui change tout, et qui impose à l'être humain son devenir, la destruction de ses forces et de sa beauté, et puis la mort. Notre professeur développe le thème de la vanité des choses humaines à partir des moralistes hantés par la vision du vieillissement. Et les motifs élégiaques du regret, particulièrement de la beauté perdue, mais plus généralement du temps perdu, trouvent ici des échos très proches du pathétique.

Ainsi au cœur même de la révolte, de la rébellion contre l'ordre moral, il n'est pas difficile de deviner cette aspiration à l'éternel et au durable qui trouvera son utopie à la fin du *Roman*. Il est vrai que tout cela est pour le moment voilé par les récriminations de la Vieille. Mais son cynisme est largement justifié par ses malheurs personnels, et par les injustices dont elle a souffert. Jean de Meun a su reprendre à ses modèles littéraires, et étoffer, la profondeur humaine en dessinant l'histoire d'une vie, celle d'une femme dont la faute fut d'abord d'aimer un homme, un ribaud à qui elle donnait tout, et qui dépensait sans égard pour elle. Cette confession, ce récit à la première personne nous font saisir la fatalité d'une existence, l'enchaînement des causes et des effets : on n'est pas « maquerelle » par nature, on le devient par malheur. Cette explication a valeur d'excuse. Mais que faut-il

en penser? Villon la reprendra dans son *Testament*
pour s'attaquer à la bonne conscience des gens qui
partagent l'humanité en innocents et coupables.
Chez Jean de Meun la pitié pour cette victime du
libertinage masculin est moins sensible. Son souci
de vengeance n'est malgré tout qu'une déformation
de l'esprit de justice. Ce plaidoyer renforce le lecteur
dans sa conviction déjà bien établie que la société
humaine est dans une large mesure vouée au mal,
tandis que cette révolte oblige à s'interroger sur ce
qui défigure ainsi le visage de l'humanité. La question
est à l'origine du discours majeur qui va suivre :
celui de Nature. Pour l'instant une première réponse
est donnée implicitement dans le récit : cette femme
a visiblement été la victime d'un disciple d'Ami.
Son témoignage nous oblige donc à dépasser les
maximes de ce libertin. Mais ses propres conseils ne
sont pas non plus d'une valeur incontestable.

Il est vrai qu'ici encore la tradition satirique se
charge de connaissances qu'il est bon d'avoir. Dans
un mélange à dessein burlesque de commandements
amoureux, de leçons de maintien, de cours de mode et
de maquillage, d'aphorismes libertins et d'exemples
moraux pris à l'antiquité, le *chastoiement*, l'éducation
des filles trouvent dans ce discours une très riche et
très concrète substance. L'art de séduire les hommes
est calculé sur la technique du désir, l'idéal de la
beauté se trouvant ramené à sa réalité physiologique.
Le portrait éthéré de la dame courtoise fait place à
l'inventaire détaillé du corps féminin. Tous les artifices rendus nécessaires par les défauts de la nature sont
évoqués avec une verve distrayante aussi bien qu'ins-
tructive. On apprend comment soigner ses cheveux,
les remplacer par une perruque, quelle teinture il faut
pour le visage, quelle profondeur pour un décolleté,
les soins d'hygiène les plus intimes, l'art de dissimuler
des épaules trop larges, des pieds trop grands, des
jambes trop épaisses. Les « contenances » de table,
d'autant plus nécessaires qu'un repas médiéval est une

entreprise acrobatique (on mange avec ses doigts), sont exposés sans ménagement pour la susceptibilité des femmes, soupçonnées de se barbouiller de sauce, de s'enivrer et de s'endormir à table. Plus agréable est l'image de la femme sortie en ville, faisant mouvoir ses hanches, relevant sa robe et ouvrant son manteau pour laisser voir le bout du pied.

La plupart de ces conseils ont figuré dans des œuvres didactiques comme celles de Robert de Blois (milieu du XIIIᵉ siècle). Mais il est évident que cette stratégie, visant à prendre au piège un mari, ressemble beaucoup à la tactique d'une prostituée, aux yeux d'un jaloux comme le mari cité par Ami. Sous la plume de Jean de Meun la distinction entre les catégories sociales s'estompe pour ne laisser subsister que la nature féminine dans sa redoutable unité. L'enseignement promis par l'auteur progresse ainsi, malgré son vagabondage dans la complexité des choses, selon un schéma philosophique assez cohérent. A la féminité de la Dame, fantasme modelé sur un désir masculin sublimé, on a substitué la réalité de la femme, dont le mystère physique se dévoile sous l'artifice de la mode.

Cette réalité physique est également cernée par les déclarations plus scandaleuses, mais indirectement révélatrices, de l'immoralisme féminin. Car nous trouvons, bien sûr, dans ce discours la réplique à la déclaration de guerre du séducteur selon Ami. La même comédie des larmes que celui-ci conseillait à son disciple est recommandée par la Vieille pour abuser les hommes. L'apologie de l'amour vénal répond aux tentatives de corruption. La revendication de l'amour libre réplique à l'insolence du libertin. Le droit des femmes au plaisir est invoqué contre les jouisseurs égoïstes. Mais la cohérence de ces propos n'est que relative. Car si l'on suivait le raisonnement de la Vieille, l'économie sexuelle serait en déséquilibre, les femmes n'ayant qu'à prendre sans réellement donner : « ayez votre cœur en plusieurs lieux, ne le mettez jamais en un seul lieu, ne le donnez ni ne le prêtez, mais vendez-le chèrement, et toujours aux enchères; et veillez que l'acheteur n'y puisse faire un bon achat » (v. 13007-015). Ce discours prend simplement le contre-pied de la morale courtoise. Il ne faut pas y attacher trop d'importance. Il s'explique par la rancœur personnelle du personnage. Mais ce qui s'affirme sous les excès de ce langage provocant, c'est le droit des femmes à des égards qui leur sont refusés aussi bien par la tutelle du mari que par la brutalité de l'amant. Ce n'est pas sans raison que Jean de Meun est allé chercher au troisième livre de l'*Ars amatoria* d'Ovide une science que nos « sexologues » parfois s'imaginent avoir découverte : « ... Et quand ils se seront mis à l'ouvrage, que chacun d'eux procède si sagement et d'une manière si calculée que le plaisir arrive des deux côtés en même temps » (v. 14263-14266). Si notre auteur n'avait voulu qu'inspirer l'horreur pour les thèses de son personnage, il ne lui aurait pas prêté des paroles si humaines sous l'humour du poète latin.

Il y a, dans les deux discours d'Ami et de la Vieille, une symétrie qui les corrige l'un par l'autre. Leur contradiction est en somme conforme à la méthode d'une éducation ironique, rendue plus évidente par l'affrontement des deux cynismes. Mais pour les apprécier dans ce qui fait leur accord, et retenir de ce débat animé et amusant une leçon valable, il faut encore lever une équivoque. Car les deux personnages ont fait l'apologie de la ruse et semblent avoir glorifié l'hypocrisie. Jean de Meun a-t-il voulu nous imposer ce vice comme une vertu? N'est-ce pas plutôt la constatation amère des moyens médiocres à quoi la société contraint la nature humaine pour parvenir à ses fins? Examinons maintenant la figure de Faux Semblant pour en déchiffrer le sens.

Faux Semblant apparaît au vers 10429 et, si son discours proprement dit ne compte que 970 vers, il tient le premier rôle jusqu'au vers 12510. L'auteur a pris soin de multiplier les signes de réticence et de méfiance chez ses interlocuteurs, notamment Amour et l'amoureux. Le ralliement à ses conseils n'ira pas sans un évident sentiment de culpabilité. L'épisode est donc un des plus intéressants du *Roman*. Marquant la péripétie du drame allégorique, puisque sa stratégie va précipiter la chute du château, c'est aussi la trouvaille la plus ingénieuse de Jean de Meun : avec lui le vice vient au secours de l'éducation. Mais une telle alliance marque une crise dans la conscience morale. C'est le moment de l'inquiétude, du doute et du soupçon.

Du point de vue purement littéraire, c'est une performance. D'abord parce qu'il faut peindre l'hypocrisie, en développant le portrait de Papelardie esquissé par Guillaume de Lorris : où nous trouvons la difficulté que soulèvera La Bruyère à propos de Tartuffe, car un hypocrite cesse de l'être s'il se trahit. La solution, ici, est dans l'exagération du cynisme. Faux Semblant nous mettra lui-même en garde contre les propos qu'il tient ; ou bien Amour soulignera ironiquement la « valeur » de ce personnage : « Ils ont engendré quelque chose de bien beau », dit-il en parlant de ses parents, « car ils ont engendré le diable » (v. 10954-10956). Mais c'est surtout par le scandale de ses remarques qu'il doit avertir le lecteur de ne pas le suivre. Enfin son autodéfinition est là pour dissiper tous les doutes : « C'est vrai, mais je suis hypocrite » (v. 11202) ; « je suis un des valets de l'Antéchrist » (v. 11685). Naturellement, un tel portrait est difficile à réaliser, et souvent l'auteur intervient, laissant percer son sentiment. Mais dans l'ensemble c'est une belle réussite qui adapte à l'art allégorique la création mythique de Renart.

L'idée elle-même est empruntée à Rutebeuf, l'auteur de *Renart le Bestourné;* dans un autre poème, intitulé la *Complainte Guillaume* et qui prend la défense du théologien Guillaume de Saint-Amour, le grand poète satirique avait dit : « *Faux Samblant et Morte Color/*

Emporte tout » (v. 86-87). Il est curieux de remarquer comment un thème de circonstance, repris et intégré au livre allégorique, va servir à la grande fresque morale de Jean de Meun. Car tout l'épisode de Faux Semblant est nourri des écrits composés une dizaine d'années plus tôt, à propos de la Querelle opposant l'université parisienne et certains de ses professeurs comme Guillaume de Saint-Amour aux ordres mendiants, qui, soutenus par la Papauté, exercent une grande influence religieuse, politique et pédagogique (1). Mais la thèse militante, ainsi exploitée longtemps après la condamnation de Guillaume à l'exil, s'appuie sur une tradition beaucoup plus ancienne qui, à travers l'évêque de Chartres Jean de Salisbury et son *Policraticus*, remonte à Saint-Augustin. En effet, le *De opere monachorum* examinait déjà sévèrement certaines implications du monachisme, et mettait en garde contre l'ambition qui pouvait se dissimuler sous les apparences de la religion. Ainsi une idéologie de circonstance, dont l'actualité a pu être ranimée, à la fin du règne de Saint-Louis, par l'influence grandissante de certains conseillers religieux, est reprise dans la lutte doctrinale que le *Roman de la Rose* contribue à alimenter : l'œuvre a dû être écrite, ne l'oublions pas, entre les deux condamnations de Siger de Brabant (1270 et 1277).

---

1. Des frères prêcheurs, Jacobins puis Cordeliers, s'étaient installés à Paris entre 1217 et 1219. Plusieurs chaires de la Faculté de Théologie leur sont, par la suite, attribuées. Vers 1252-1253 ces professeurs, appartenant aux ordres dits « mendiants », s'opposent aux maîtres séculiers qui s'attachent à défendre les privilèges de l'Université et son indépendance à l'égard du pape et du roi. Guillaume de Saint-Amour se rend à Rome en 1253 pour plaider la cause traditionaliste. Mais le pape Alexandre IV entend profiter des ordres mendiants pour reprendre en main l'Université française. Alors que celle-ci développe sa propagande, notamment à l'occasion de la publication, en 1254, du livre introduisant à la lecture de Joachim de Fiore *(Liber introductorius)*, le pape avec l'accord de Louis IX fait condamner en 1257 l'auteur du *De periculis*, Guillaume : il restera exilé à Saint-Amour.

On peut donc expliquer l'épisode de Faux Semblant en fonction du mouvement des idées au XIIIe siècle, des débats violents qui ont opposé les intellectuels, et des luttes d'influence dont les procès et les persécutions sont les manifestations les plus spectaculaires. Empruntant la plupart de ses arguments à Rutebeuf et à Guillaume de Saint-Amour, surtout au *De Periculis* de ce dernier, il dénonce le parti dévot qui cherche à diriger les grands personnages, soulignant la contradiction entre la volonté de puissance et le vœu de pauvreté, non sans faire allusion aux dangereuses réactions des Dominicains qui se soutiennent efficacement et peuvent briser la carrière de leurs ennemis. Il exploite les erreurs doctrinales d'un frère mineur, Gérard de Borgo, qui avait publié en 1254 un *Evangelium Eternum* très imprudent en préface à la *Concordia novi et veteris Testamenti* de Joachim. Et toutes ces idées et ces actes, attribués allégoriquement à Faux Semblant, accréditent la thèse d'un complot quasi diabolique contre le véritable esprit de l'Évangile. Thèse qui a dû connaître un certain succès, car plusieurs manuscrits la développent en des interpolations hostiles aux ordres mendiants. Tout l'épisode nous aide à situer Jean de Meun, et par conséquent à interpréter ses intentions. Très attaché à la vieille tradition universitaire de Paris, celle pour qui Guillaume de Saint-Amour fait figure de martyr, il est aussi fidèle à une conception de l'Église en contradiction avec la conduite de certains ordres religieux. Il est donc important de préciser que la satire, alors particulièrement violente, n'attaque pas la religion elle-même : elle est la manifestation d'un conflit qui partage l'Église.

Toutefois l'allégorie transforme les allusions particulières en idées générales; son tour d'esprit philosophique permet de tirer la leçon morale de la réalité anecdotique. Elle est donc un procédé important de la littérature satirique, dont elle assure la transformation en lui donnant une élévation épique. Dans le cas du *Roman de la Rose* il faut trouver le rapport entre la querelle dont nous venons de parler et le problème de l'amour. On voit mal comment l'hypocrisie pourrait être condamnée dans un cas et approuvée dans l'autre. L'affaire de l'université apparaît comme un phénomène limité qui confirme le mal dont souffre toute la société. Car l'éloquence de Faux Semblant nous fait imaginer toute l'étendue de son pouvoir sur la société humaine. Véritable Protée, difficile à saisir dans ses diverses manifestations, l'hypocrisie est une loi générale du comportement social. La fourberie des amants n'est qu'un cas particulier de la comédie humaine résumée par la généalogie du personnage : Faux Semblant est le fils de Barat et d'Hypocrisie.

Cette vision de la vie sociale pourrait nous sembler d'un pessimisme arbitraire si elle ne s'appuyait pas sur une critique sévère de l'argent, cause tangible des vices sociaux tels que Jean de Meun, comme beaucoup de clercs, les voit, associés au principe même de l'économie marchande. C'est que la vertu chrétienne se tient à égale distance de la richesse et de la pauvreté; elle recommande la *suffisance*, sorte de minimum vital qui exclut la mendicité comme l'usure, l'oisiveté comme la cupidité. Ici notre auteur évolue sur un terrain semé d'embûches doctrinales. Mais pour lui la pauvreté affichée par des religieux n'est pas une vertu, pas plus que le goût du luxe et l'avidité de l'avarice. La tradition satirique, attentive à relever tous les travers de la machine sociale, conduit donc Jean de Meun fort loin de l'idéal courtois que Guillaume de Lorris faisait miroiter aux yeux de son lecteur. Notre clerc se fait observateur des mœurs, ou du moins se montre obsédé par la corruption qui règne chez les hommes. Il fallait en arriver là pour deviner le moralisme exigeant que dissimulent ses aphorismes cyniques, et pour comprendre sa fidélité à une certaine pureté chrétienne.

Cette pureté se traduit par une sévère condamnation

du contrat social, dont la genèse historique se résume en un schéma peu flatteur. Selon notre auteur, influencé par des lectures classiques mais s'exprimant par allégories, ce sont Barat, Péché, Male Aventure, Orgueil, Convoitise, Avarice et Envie qui ont présidé aux premières institutions humaines. Les origines de la propriété, le partage des terres, le choix des princes s'expliquent à partir de ces défauts humains. Cette sociologie s'inspire d'Horace, le poète satirique, et de Lucrèce, le philosophe ironique, mais elle se renforce d'une haine pour l'argent, d'un mépris pour le commerce, la « marchandise », où nous reconnaissons la force révolutionnaire du premier christianisme.

Faut-il s'étonner qu'une apparente libération sexuelle serve ainsi d'expression symbolique à la fois pour la révolte antisociale et pour la réprobation morale? Ce serait oublier la force et l'authenticité des problèmes humains, dont les différents secteurs de la littérature ne donnent souvent qu'une interprétation conventionnelle et atténuée. L'habileté et l'originalité de Jean de Meun sont d'avoir réuni, dans le mécanisme complexe de son *Roman*, ces aspirations diverses dont l'éparpillement dans la culture livresque faisait perdre le sens et la portée métaphysique. Nous savons comment, dans les mythes primitifs, le thème sexuel se trouve associé aux idées religieuses et aux notions sociales. Faux Semblant nous fait saisir, sur le mode mineur de la critique négative, l'unité de la culture humaine. Par sa bouche se déclare la révolte de l'instinct contre la loi qui le bride, et la protestation de l'esprit contre le langage qui le trahit. Double message à déchiffrer dans l'oracle ambigu proféré par ce masque. Encore faut-il, pour suivre la pensée de Jean de Meun, faire attention au personnage qui l'accompagne, Abstinence Contrainte. Celle-ci représente la fausse chasteté, l'exercice de l'hypocrisie sur le plan sexuel. Par là nous retrouvons un sujet de débat qui concerne aussi le dogme et divise l'opinion des clercs. Mais c'est une question qui touche au fond du problème intéressant le *Roman de la Rose* : les rapports de l'amour et de la nature. La fin de l'œuvre va lui consacrer ses plus longs développements.

Dans le discours de Nature et de Genius, on décèlera facilement d'autres traits d'ironie. Ainsi Nature se voit attribuée une féminité plus distrayante que philosophique. Genius est prêt à lui reprocher le bavardage, la légèreté, la mauvaise foi; et les griefs qu'elle formule contre la créature humaine rappellent ceux de la Vieille à propos de son amant. Mais c'est là surtout un amusement de l'auteur, une forme d'humour qui allège un peu les dissertations les plus sérieuses. Plus subtile est l'ironie de l'épisode final, où le narrateur raconte son exploit amoureux avec une fausse maladresse et une feinte naïveté. Mais en un sens la leçon de l'expérience, c'est que la nature se sert de mille ruses pour parvenir à ses fins. L'homme amoureux tombe dans un piège, il fait autre chose que ce qu'il croit faire. Il poursuit le plaisir, il rencontre une femme qui lui donne des enfants : le processus sexuel est ironique.

L'auteur va s'attarder en effet, dans les discours de Nature et de Genius, à définir les rapports obliques de l'homme et de la nature. Il nous donne ainsi une vision positive de ce que la satire a laissé deviner par les ombres de sa critique. L'expérience du désordre, du scandale et du défi a bousculé non seulement le jeu illusoire de la courtoisie, raconté par Guillaume de Lorris, mais aussi le rassurant système de la théologie, imaginé par Alain de Lille. On va retrouver les personnages de l'un et de l'autre auteurs, mais emportés désormais par un discours et une imagination que ne pourra brider aucune censure. L'instinct démasqué, la vision de l'intellect peut s'élargir.

6 LE DÉVOILEMENT POÉTIQUE

Par leur place, par la fiction de leur mise en scène, par leur contenu même, les discours de Nature et de Genius marquent un progrès décisif dans la réflexion morale. C'est en particulier à Genius qu'il revient de nous communiquer l'ultime message, avant que ne retombe le rideau de l'allégorie sur le théâtre de l'amour. Les révélations de Nature touchant l'ordre du monde nous auront préparé à ce dévoilement des secrets de la vie. Mais c'est tout un faisceau d'images, d'idées, d'exemples et de mythes qui trouvent dans ces deux discours leur élucidation, non sans qu'interviennent encore de nouvelles figures, de nouveaux mythes : désormais leur « exposition » est-elle assez claire pour que le lecteur n'ait plus à hésiter entre plusieurs sens possibles? Il faut penser à la grande liberté que les exégètes du Moyen Age ont manifestée dans l'interprétation des symboles, des paraboles et des mythes. Pour eux la divergence des interprétations n'était pas inquiétante : images et histoires n'étaient qu'un moyen d'expression, sans signification qui leur fût essentielle. Si le *Roman de la Rose* donne une impression différente, c'est que la thèse de Jean de Meun cherche précisément un sens dans l'histoire et dans la nature, et que chez lui les mythes et les descriptions apparaissent comme les manifestations convergentes de cette signification. Les discours de Nature et de Genius dépassent les discordances accumulées dans tout ce qui précède; ils dégagent l'unité du comportement amoureux, les véritables lois du personnage mythique du dieu Amour, où l'on va reconnaître la Loi du Dieu d'amour. Ce qui a été dit par les divers protagonistes de l'épopée allégorique n'est donc pas nié ni réfuté par Nature et Genius, mais identifié comme approximations de la vérité, apparences d'une réalité qu'on va enfin nous dévoiler.

Sur le plan de l'allégorie cet épisode plus philosophique nous éloigne davantage du héros, le jeune amoureux, qui restera enfermé dans les apparences, quelle que soit la plénitude charnelle de son aventure. Déjà le discours de la Vieille tendait à l'effacer derrière Bel Acueil. Mais il ne comparaît plus devant Nature ou Genius. Nature fait le procès du genre humain en général, en portant plainte contre les crimes commis contre elle, où nous reconnaissons les erreurs accumulées avant son intervention, notamment par Ami, Faux Semblant et la Vieille. Cette critique nous prépare à la révélation de la vérité par Genius, qui est le porte-parole de la divinité. Cette révélation n'implique pas une conversion mystique, l'abandon de la vie active et physique pour la vie contemplative et purement spirituelle. La thèse du livre est au contraire qu'il faut assumer notre vie charnelle; mais le véritable sens de la vie, tel qu'il se dessine au terme de ces exposés, doit aider ceux qui le découvrent à corriger dans une certaine mesure les fautes dont est responsable l'égarement de notre liberté.

Selon Nature, en effet, l'homme est la seule créature à bouleverser l'ordre naturel voulu par Dieu : idée maîtresse qui se dégage de la composition et de la syntaxe de son discours, mais qui se précise en condamnations particulières. Avant l'exposé du souverain bien par Genius, c'est donc l'inventaire du mal. A vrai dire la notion de *mal* reste assez floue chez Jean de Meun. On ne sent pas ici la hantise du péché (surtout pas du péché charnel, cela va sans dire); mais on ne retrouve pas, non plus, la véhémence d'Alain de Lille lorsqu'il condamne au début du *De Planctu* le crime de la sodomie, bien que nous ayons

là le type même de faute contre la nature. Toutefois
notre auteur nous fera bien comprendre que le mal
est à la fois faute contre la nature, contre l'amour et
contre Dieu. Et Genius évoquera la responsabilité
d'Orphée qui, d'après Ovide, ayant perdu Eurydice,
reporta son désir sur les jeunes gens, donnant ainsi
un mauvais exemple aux Grecs (v. 19611-19640).
Mal qui est bien une erreur, et non l'effet d'une
puissance maléfique. Pour Jean de Meun le mal n'a
pas une réalité métaphysique, et c'est pourquoi il n'est
pas effrayé par Faux Semblant mais admet qu'on
puisse composer avec l'hypocrisie, à certaines
conditions.

S'interrogeant sur les causes et les formes de l'erreur
humaine, Jean de Meun se fait l'écho des spéculations
philosophiques sur le redoutable problème de la
liberté. On comprend la difficulté d'une thèse qui met
l'accent sur l'ordre de la nature, soit à partir d'une
sagesse banale (« toute créature veut retourner à sa
nature », v. 13997), soit sous l'influence d'anciennes
théories naturalistes qui, par l'intermédiaire des
Arabes, sont au xiiie siècle mieux connues dans les
universités. Le poète fait preuve d'une prudence qui
n'est pas due à l'incompétence; s'il renvoie aux textes
que lisent les clercs, auprès desquels nous sommes
priés de nous renseigner (v. 17705-706), c'est que la
confrontation du déterminisme et du libre arbitre
attire toujours l'attention des théologiens, et qu'il ne
se soucie pas de prendre parti dans une querelle doctrinale.

La culture médiévale masque cette antinomie sous
la figure de Fortune, allégorie morale qui a pris une
portée mythique, comme le prouve son exploitation
littéraire, par exemple dans la *Mort Arthur* et le
Jeu de la Feuillée. Boèce avait recours à cette équivoque divinité païenne, comme à une personnification
utile pour illustrer les leçons de stoïcisme. Jean de
Meun, qui prête à Raison une leçon de ce genre,
l'illustre de plusieurs emblèmes allégoriques. La roue

de Fortune est évoquée aux vers 4807-4930, 5815-5890 et 6825-6844. Le symbole des deux tonneaux, l'un source de plaisir, l'autre d'amertume, est développé aux vers 6783-6824. Et l'auteur s'est surtout attaché à décrire la maison de Fortune, rassemblant une série de symboles antithétiques sur ce thème fondamental aux vers 5891-6144; il suit alors de très près l'*Anticlaudianus*. L'accent est mis sur les images de la nature, dont l'ordonnance se brouille sous l'effet de Fortune, les arbres déformés perdant les caractères de leur espèce, les oiseaux chantant à contre-temps, le Zéphir et la tempête se disputant le ciel. A ce passage fait suite une longue série d'exemples moraux pour illustrer le malheur qui met fin aux illusions du bonheur. C'est précisément la sagesse que l'amoureux refuse alors d'écouter.

La leçon de Raison n'était pas parfaite. Comment éviter Fortune, ses eaux mêlées de miel et de fiel, sans renoncer à vivre dans le monde? Pour se mettre à l'abri de son instabilité, ne faut-il pas renoncer à tout, s'abstenir? Et que faut-il éviter au juste, le hasard, la richesse, la fragilité? Le cycle de Fortune n'est-il pas le symbole de la nature, de ses changements, voire de ses cataclysmes? Raison avait l'air de nous mettre en garde contre la nature même. Sa sagesse nous vouait à une théologie austère.

C'est naturellement une autre philosophie que nous trouvons chez Nature, et son discours s'inspire d'idées beaucoup plus optimistes. Au désordre, dont Fortune donnait l'image, elle oppose l'idée d'ordre, résumée dans le spectacle du ciel, où tout semble exactement réglé selon des lois fixes. Mais au bout de cette idée on va trouver un autre mythe, celui du Destin. Les astres, si bien ordonnés, ne gouvernent-ils pas les hommes? La tentation du fatalisme, que ravive sans doute la faveur retrouvée pour la philosophie antique, sera en effet condamnée en 1277. Mais Jean de Meun l'écarte d'emblée, montrant qu'il ne suit pas sur ce point Siger de Brabant ou les disciples d'Averroès.

Il croit fermement en la liberté humaine, et il le faut bien quand on prétend éduquer les hommes. Alors il a cherché chez les philosophes une conciliation entre le déterminisme de la nature, nécessaire à l'ordre, et la liberté humaine, nécessaire à la morale. La théorie des « inclinations » l'a séduit, et il pense que la destinée est une disposition qui nous incline à agir d'une certaine manière sans véritablement nous y obliger (v. 17508-17512). Le hasard et la volonté font exception aux lois de la nécessité (v. 17503). Ainsi ce qu'on a appelé le « naturalisme » de Jean de Meun s'impose des limites conformes à la religion chrétienne.

Mais un autre problème est évoqué, qui alimente les discussions théologiques. Si l'homme est libre, que devient la prescience divine? Siger de Brabant et l'averroïsme semblent la nier. Jean de Meun ici encore cherche des solutions plus orthodoxes, sinon plus claires, dans la *Consolation* de Boèce. L'homme agit sous le regard divin comme devant un « miroir perdurable » qui reflète tous les événements sur le plan de l'éternité sans rien enlever à son « franc vouloir » sur le plan temporel (v. 17438-17440). Et l'on peut admirer l'aisance avec laquelle notre poète traduit, adapte, résume le philosophe latin, montrant, même par les libertés qu'il prend avec la lettre du texte, qu'il en a assimilé la substance. Précieux message ainsi transmis à ceux qui ne peuvent lire Boèce en latin, car c'est d'abord à travers lui que l'on a cherché la conciliation des philosophies antiques avec le christianisme. En tout cas voilà expliquées les erreurs dont l'homme s'est rendu coupable contre Nature et l'ordre qui est le sien. Le mythe de Fortune se dissipe pour faire place aux idées plus philosophiques de hasard et de liberté. Et le poème doit nous montrer le droit chemin de la liberté.

Ce chemin, Alain de Lille avait cru pouvoir le tracer dans le décor de son allégorie. C'est chez lui, après Boèce, que Jean de Meun cherche un guide.

Or le *De Planctu Naturae* reflète un amour de la nature qui, inspirant déjà tout un courant philosophique représenté par les théologiens de Chartres, au XIIe siècle, va répondre aux nouvelles aspirations humaines du siècle suivant. Alain de Lille a visiblement servi de transition entre le platonisme savant de l'École de Chartres et le milieu intellectuel, plus scolastique, auquel se rattache Jean de Meun. Mais le message « naturaliste » résulte d'une transposition en termes poétiques de ce néo-platonisme. Les images, l'éloquence, l'enthousiasme transforment les développements philosophiques, et même les descriptions allégoriques empruntées à d'autres auteurs. Ce qui restait parfois chez eux une vue de l'esprit, une construction intellectuelle, ou un goût fervent mais désintéressé pour la beauté de la création, devient chez notre poète sympathie profonde pour toutes les formes d'existence. L'amour du beau, qui s'était affirmé au XIIe siècle sans conduire nécessairement au delà de la contemplation, fait place à l'amour de la vie, qui implique une plus intime complicité avec la nature.

Chez Guillaume de Lorris le spectacle naturel était ordonné par la tradition lyrique et la fonction symbolique. Le printemps, le jardin, la musique des oiseaux, les reflets de l'eau appartenaient au rite élégant de l'amour courtois. Les signes de la fécondité (prolifération des espèces, graines, fruits) restaient voilés : de la beauté on ne saisissait que le plaisir et le danger. Chez Jean de Meun une vision concrète, colorée, diversifiée, mais surtout un langage riche, puissant, mouvementé font apparaître le dynamisme de la nature, la métamorphose de la vie, la lutte continuelle de la génération avec la mort. Le discours de Nature rassemble et développe les aperçus fugitifs donnés avant son intervention.

Car le style imagé de notre auteur nous vaut plus d'une référence à la nature, depuis le début du discours de Raison. La seule lecture d'Ovide encourageait l'écrivain à tenter des descriptions de goût classique, dont on trouve l'ébauche dans les énumérations d'Ami : « Il faut offrir... pommes, poires, noix ou cerises, cormes, prunes, fraises, merises, châtaignes, coings, figues, *etc.* » (v. 8181-8183). La littérature satirique a aussi fourni son contingent d'images. Le bestiaire, support habituel de la moralité, avec ses oiseaux en cage, ses poissons pris dans la nasse, ses poulains éperonnés par le désir, représente ici la force instinctive, dont il va bien falloir tenir compte. L'évocation du vent, autre signe du désir, est associée aux séductions comme aux menaces naturelles. Et c'est surtout le mythe de l'Age d'Or qui tient une place importante dans le discours d'Ami. D'après Ovide et Virgile notre *Roman* décrit les temps idylliques où l'homme vivait naturellement de fruits sauvages, s'abritant sous les arbres ou dans des grottes, et consacrant son existence à divers jeux champêtres, et d'abord au jeu d'amour sur l'herbe tendre, parmi les fleurettes (v. 8325-8414).

A cette image idéale ou symbolique le discours de Nature va substituer une analyse qui se veut plus authentique. L'auteur commence par l'éloge de son personnage allégorique, dont il parle comme un amant parle de sa dame, mais en affirmant que, Dieu ayant mis en elle une beauté infinie, on ne peut légitimement la décrire : « il n'est donc pas permis que je vous parle de son corps ni de sa face, qui est aussi avenante et belle que fleur de lys en sa nouveauté du mois de mai; une rose sur un rameau ou de la neige sur une branche n'ont pas semblable rougeur ou blancheur » (v. 16209-16214). S'étant ainsi débarrassé par une hyperbole à la fois poétique et philosophique des devoirs du peintre, Jean de Meun laisse à Nature le soin de se raconter.

Retenons de ces pages nombreuses et riches quelques aperçus significatifs. Le décor naturel, tel que nous l'imaginons à la lecture du livre, est tout en hauteur. La verticalité de cette fresque correspond à la préoccu-

pation philosophique du poète qui n'entend plus se
traîner à ras de terre, mais cherche à nous élever
spirituellement. Ainsi notre attention est attirée vers
le mouvement régulier des étoiles, qui brillent au
firmament avec plus d'éclat que des pierres précieuses.
Mais sous leur clarté on découvre l'harmonie mathématique de leur évolution : c'est la mécanique céleste
que nous admirons, avec la rotation des différents
étages et les cercles des planètes. La poésie, sans
chercher ici à se soumettre aux lois des nombres,
demande à son langage de rendre sensible à notre
imagination une esthétique abstraite. Cet effort
littéraire, pour trouver l'expression adéquate du beau
rationnel, est la conséquence normale du projet même
d'un livre qui cherche la convergence entre l'intellect
et le cœur pour expliquer l'amour. Certains passages
associent plus simplement la description à la discussion des hypothèses formulées pour expliquer le
phénomène. Ainsi les phases de la lune sont souvent
vues d'une façon fantastique, comme une figure
de serpent; mais on nous donne une explication
scientifique, attribuant l'obscurité partielle de son
image au pouvoir de réfléchir la lumière solaire
(v. 16806-16864). Comme toujours l'art du poète
trahit ici un curieux mélange d'images naïves et
d'idées savantes, de fantastique et de rationnel. On y
trouve également un certain goût pour l'ornement
classique, qui nous vaut une petite scène de mythologie allégorique racontée avec grâce, nous montrant
la Nuit plaçant ses chandelles sur la table pour séduire
son mari : « la Nuit se dit, en se regardant dans un
miroir, à l'office, au cellier ou à la cave, qu'elle serait
trop hideuse et sombre, et aurait une face trop téné-
breuse, si elle ne profitait pas de la clarté joyeuse des
corps célestes lançant leurs flammes et leurs rayons
dans l'air obscurei » (v. 16909-16916).

Il faut remarquer, à ce propos, l'importance de la
lumière dans cette évocation du monde et, plus généralement, le rôle essentiel joué par la *vision* dans la

représentation esthétique et scientifique des choses.
On peut mettre au crédit de l'auteur les références
à des théories optiques qui commencent tout juste à
être connues en France vers 1270, notamment par le
Traité de Perspective rédigé par Roger Bacon. Jean de
Meun cite même le savant Alhazen ibn Al-Haïtham
(v. 18004), dont ce philosophe reprend les idées. Le
poète trouve dans la théorie des miroirs, des lentilles
et des lunettes un thème qui sert son propos philosophique tout en nourrissant son jeu poétique avec
les images sensorielles. Ainsi la fantaisie qu'il découvre
dans la nature côtoie le fantastique, mais sans jamais
échapper au contrôle de la raison. Et l'idée est encore
agrémentée d'un ornement mythologique : Mars et
Vénus auraient pu, nous dit-il, éviter les filets tendus
par Vulcain s'ils avaient disposé d'une loupe.

La richesse de son imagination se manifeste aussi
dans les scènes soulignant les rigueurs de la nature.
Mais si la hantise de la pauvreté nous valait, aux vers
10120-10130, un tableau sombre et pessimiste d'une
époque de famine, Nature parle avec plus d'entrain
de ses propres cataclysmes, affirmant la possibilité
pour l'homme d'en triompher par son intelligence.
On note cependant, chez l'auteur, une nette complaisance à envisager des hypothèses catastrophiques,
inondations, sécheresse, vagues de froid, tempêtes, et
à imaginer la fuite des hommes ou leur lutte contre les
intempéries. Ces images du désordre rappellent les
erreurs humaines, et l'auteur ne perd pas de vue
l'explication de tels événements par des causes intelli-
gibles. Une petite touche mythologique nous rassure
encore de son ornement charmant, quand on imagine
avec humour Bacchus, Cérès, Pan et Cybèle irrités de
voir leur domaine envahi par les poissons, ou les
nymphes et les dryades désolées de voir ravager leurs
demeures (v. 17920-17940). L'humour, en tempérant
tous les effets, donne un style tout personnel à ces
grandes scènes de la nature.

Le poète n'est donc pas simplement fasciné par le

déchaînement des forces naturelles. La violence des vents visiblement l'inspire, et il s'attarde à nous montrer les orages qu'ils apportent, les tours et les clochers qu'ils abattent, les arbres qu'ils déracinent (v. 17855-17873). Nous sommes loin de l'image idyllique de l'Age d'Or et de la fade utopie qu'elle illustrait. Cette violence a un sens, elle est l'expression, sur le plan de la nature, du désir dont le livre étudie les ravages sur le plan humain. Il faut comprendre que cette violence n'est pas un mal, mais le signe d'un dynamisme nécessaire à la vie. Et Jean de Meun est allé chercher des raisons de la mieux comprendre dans les traités ou les commentaires qui, comme *Les Météores* d'Aristote (texte qui figurait au programme de la Faculté des Arts depuis 1255 à Paris), nous libèrent des frayeurs superstitieuses.

C'est encore le *De Planctu* d'Alain de Lille qui lui a fourni les renseignements les plus nombreux et le système de la nature le plus proche de ses propres intuitions. Ce système remonte à la cosmologie des Grecs, que le Moyen Age a toujours connue par bribes, et que les philosophes de l'école de Chartres ont repensée d'une manière plus cohérente avec le renouveau platonicien du XIIᵉ siècle; un siècle plus tard l'aristotélisme, se répandant à l'Université de Paris, en précise les vues dans un sens plus mécaniste. Jean de Meun bénéficie de ce double héritage; car le platonisme de Chalcidius, Boèce, Macrobe a trouvé d'abord un renfort, et non un dépassement, dans la physique d'Aristote. L'univers est conçu comme un ensemble de sphères définies par des cercles concentriques et portant, autour de la terre immobile, la lune, le soleil, Mercure, Vénus, Mars, Jupiter, Saturne, et enfin le globe où s'inscrivent les orbes des divers astres : c'est le huitième ciel (v. 16771 et suiv.). On explique le mouvement rétrograde des planètes par la vitesse particulière de chaque sphère. Enfin tout ce mécanisme doit revenir à son point de départ au bout de 36 000 ans. Siger de Brabant envisage ainsi plusieurs cycles de civilisation, tandis que Jean de Meun, plus orthodoxe, pense qu'il n'y a qu'un cycle, l'histoire du monde devant se terminer au point où Dieu l'a créé. Notre poète résume donc en son livre des idées beaucoup plus développées dans les œuvres philosophiques. Mais il ne dit pas de sottise, même quand il s'éloigne de son guide, Alain de Lille : il mérite bien, à ce titre, d'être considéré comme un « penseur », étant entendu que la pensée philosophique, à l'époque, ne recherchait pas l'originalité à tout prix, mais reprenait tranquillement les idées des autres en les adaptant.

La structure de la matière est ainsi expliquée à partir de la théorie des quatre éléments, terre, eau, air, feu, où l'on reconnaît la physique aristotélicienne ; mais c'est une théorie qu'on trouve un peu partout depuis le *Timée* de Platon, dans le commentaire de Chalcidius. Ces éléments tendent à se répartir selon leur gravité, la terre étant la plus lourde, au centre, le feu, léger, à la périphérie l'eau et l'air entre les deux. Aristote a formulé l'hypothèse de la quintessence, dont nous trouvons un écho chez notre poète. L'intérêt de cette hypothèse, pour les théologiens, était de séparer nettement le ciel du reste de la création. Albert le Grand s'y est donc rallié. Pour Jean de Meun seules « *les particulières choses* » sont constituées des quatre éléments (v. 17481-17482). Clairs (air et feu) ou opaques (terre et eau), ayant chacun une qualité propre (le chaud, le froid, le sec, et l'humide), ils se combinent en proportion variable sous l'influence des astres (v. 16925-16944). Cette physique de la nature peut servir de référence à l'astrologie comme à la théologie chrétienne.

Mais ce qu'il s'agit d'interpréter, à partir de cette théorie physique, c'est le travail de la nature considéré dans la procréation. Le poète nous présente Nature dans sa forge, occupée à fabriquer les individus perpétuant chaque espèce. Car Dieu a créé les espèces, mais il appartient à la nature de faire « les singulières pièces », les individus. Ainsi se trouvent délimités à la fois son office et son domaine. Le *Roman de la Rose* ne nous parlera pas, comme un théologien le ferait certainement, de tout ce qui est réservé à Dieu. L'amour, considéré dans la nature, a pour fonction la reproduction, et non quelque vocation mystique. C'est pourquoi le Phénix n'est pas, comme dans le *Physiologus*, un symbole de la résurrection, mais celui de la pérennité de l'espèce (v. 15947). Le bestiaire de Jean de Meun n'est pas religieux : il est cependant métaphysique.

En effet, le discours de Nature nous fait comprendre la lutte des deux principes de la vie et de la mort. C'est ce qui donne son unité et son sens au spectacle dont nous avons déjà évoqué quelques images. Un thème très suggestif : celui du vent. En le voyant pousser les nuages et les orages, nous avons d'abord été frappés par le désordre qu'il apporte. Mais cette perturbation fait partie du dynamisme vital, et le poète trouve de fort belles images pour décrire le retour du beau temps, qui réconcilie l'air et les nuées : « Et quand les nues s'aperçoivent qu'elles reçoivent un air tout ragaillardi, alors elles se réjouissent, et pour être avenantes et belles elles font, après leur douleur, des robes de toutes les couleurs, et elles mettent les toisons de laine à sécher au beau soleil plaisant et précieux qu'elles effilochent en l'air, profitant du temps clair et resplendissant; puis elles les filent, et elles font de leur travail de grandes aiguillées de fil blanc comme pour coudre leurs manches » (v. 17957-17970). On remarque ici, outre une discrète allusion à la théorie des éléments (l'air, l'eau et le feu), une interprétation de la beauté naturelle comme tentative de séduction : les nuées veulent plaire à l'air. Autrement dit la nature est elle aussi animée par le désir : c'est lui qui préside au mélange des éléments et aux métamorphoses qui en résultent. L'âme du monde, chez Jean de Meun, serait ce souffle vital *(anima)* qui traverse les êtres, et que figure entre autres choses le vent, principe naturel et matériel permettant la fabrication des êtres éphémères. Mais notre poète n'insiste pas sur cette idée métaphysique qui pouvait le conduire à une sorte de panthéisme. Il veut surtout nous faire deviner, avant de nous l'expliquer, la transformation vitale comme la combinaison *de la génération et de la corruption* (c'est d'ailleurs le titre d'un ouvrage d'Aristote également au programme de la Faculté de Paris depuis 1255). Et il lui faut, non seulement choisir les images illustrant ces principes, mais aussi introduire le vocabulaire philosophique correspondant, d'où des mots comme *transmutations* et *commixtions* (v. 17478 et 17487). Sur le plan plus général de la composition poétique, il lui faut chercher une formule qui associe les visions cosmiques et les formules épiques. Le *Roman de la Rose* renoue avec la tradition des *cosmogonies*; avec lui le genre des grands poèmes scientifiques réapparaît dans l'histoire de la littérature française. Mais cette nouvelle étiquette ne doit pas nous faire illusion : dans cette œuvre très complexe, des traditions et des tendances divergentes semblent avoir quelque peine à se combiner.

Malgré la puissance poétique et philosophique de ses développements le discours de Nature laisse non résolues bien des questions que le lecteur se pose. Dans les années à venir, les recherches de la critique permettront sans doute d'y voir un peu plus clair. Pour l'instant, on peut chercher comment le message confié par l'auteur au curieux personnage de Genius complète, précise et probablement limite la doctrine de Nature. Mais, là encore, nous rencontrons des difficultés.

Il y a d'abord celle de l'intention avec laquelle Jean de Meun a pu faire parler un prêtre. Comme Nature, Genius est emprunté à Alain de Lille, chez qui il représentait le principe directeur de la vie individuelle telle que l'Ordre Divin l'a voulu, la forme donnée par Dieu au moule matériel des espèces. Le discours de Genius ne contredit ni le couple aristotélicien forme-matière, ni la définition des rapports du Dieu créateur avec les espèces naturelles, idées que nous avons rencontrées chez Nature. Néanmoins l'aimable fantaisie de notre poète nous présente Genius comme le confesseur d'une grande dame, de tempérament très mondain. Cet humour qui entoure les personnages comme un halo nous laisse un peu dans l'embarras. Si on le rapproche du sourire amusé avec lequel nous ont été rappelés quelques épisodes de la mythologie classique, le soupçon nous vient que toute cette science n'est peut-être qu'au service de la comédie érotique. Le recours aux mêmes métaphores cléricales et bourgeoises qui serviront à décrire, dans le dénouement, l'acte sexuel, aggrave nos soupçons. Mais c'est ici que notre goût moderne risque de nous abuser. Il y avait certes, au Moyen Age comme aujourd'hui, une tradition burlesque de l'obscénité qui, chez les intellectuels, trouve son aliment dans la parodie des langages techniques et religieux. Mais il y avait aussi, dans la fréquentation des récits mythiques, une familiarité nuancée d'humour qui n'impliquait pas le même détachement qu'aujourd'hui. Le sourire ne marquait pas la distance et l'éloignement, mais l'intimité et la complicité. Différent de l'ironie, qui souligne la dénonciation du mal, l'humour signale la présence d'un bien à dévoiler. Il est évident que la lecture des *Métamorphoses* d'Ovide au xiiie siècle se faisait sans excès de gravité. Le spectacle de Mars et Vénus pris au piège de Vulcain était d'abord fait pour nous amuser, comme il amusait les dieux « ... *qui mout ristrent et firent feste/quant en ce point les aperçurent./De la biauté Venus s'esmurent...* » (v. 13824-13826). Mais chacun sait que ces mythes ne sont pas pris pour argent comptant; ils servent de matière à l'interprétation allégorique, aux *integumanz* (v. 7138). L'humour accompagne donc les récits mythiques hors de toute croyance, sans pour autant les priver de signification. On remarque d'ailleurs un tel humour dans les romans reprenant des légendes celtiques, par exemple dans *Jaufré*. Par là le roman allégorique

diffère de l'utopie, qui se prend au sérieux. Libre au
public moderne de préférer à cette réflexion souriante
sur le destin des hommes les constructions sociales
qui sont, depuis la Renaissance, l'objet de divagations
pédantes et prophétiques. N'oublions pas non plus
que le *Roman de la Rose* aborde tous les faits humains
et les phénomènes naturels par l'aspect sexuel. Nous
avons affaire à une sorte de cosmologie érotique.
L'appréciation de l'humour, en matière d'érotisme,
peut varier considérablement d'un milieu historique
à un autre. Songeons à la perplexité des archéologues
devant le culte phallique dont témoignent les vestiges
de Pompéi. Il ne faut peut-être pas juger de l'érotisme
chez Jean de Meun comme nous le faisons quand il
s'agit d'un texte moderne, ou même d'un texte antique
mais libertin. En somme, derrière l'ambiguïté du ton
nous cherchons l'authenticité des croyances. Pour la
rejoindre, il faudrait remettre de l'ordre dans la
mosaïque culturelle qui compose l'ouvrage.

Seconde question, donc, encore mal comprise :
quelle place tient la mythologie dans la culture du
XIIIe siècle? Les références mythologiques ne jouent
pas seulement le rôle d'ornement et de distraction
littéraire. Elles interviennent dans l'ensemble de la
composition savante pour suggérer un sens que ne
peuvent ou ne veulent élucider la syntaxe du discours
et la démonstration logique qu'il apporte. Un mythe,
c'est un récit apportant une explication à laquelle,
autrefois, les hommes ont cru, et qui nous paraît
envelopper encore une secrète parcelle de vérité,
une fois dissipée la croyance proprement dite. Il
diffère donc de la simple composition symbolique et de
la parabole, qui ne furent l'objet d'aucune croyance.
Sa reprise dans une littérature plus moderne et plus
rationnelle comporte un certain jeu avec l'histoire de
la pensée; elle est la marque d'une réflexion historique.
Ce genre de philosophie, qui s'attache à dévoiler le
sens caché de la mythologie, est couramment pratiqué
au Moyen Age. Ainsi la *Consolation* de Boèce a fourni

la matière de commentaires portant sur les trois
Parques, sur les tonneaux de bonne et mauvaise
destinée, sur Orphée et Eurydice, sur Circé et Ulysse.
Jean de Meun, qui cite ces personnages et fait allusion
à leurs aventures, a pu en trouver l'interprétation
morale et allégorique dans l'œuvre de Guillaume de
Conches, l'un de ces philosophes de Chartres qui
cherchent à exploiter l'héritage antique. Le rôle de
l'allégorie, dans sa recherche d'un sens caché sous
l'histoire (*integumentum* ou *involucrum*), est de concilier la richesse de la mythologie antique avec les exigences doctrinales du christianisme. Dans le commentaire qu'on en donne ne s'épuise pas le sens du mythe,
et tout en réduisant, en apparence, la signification
à une moralité banale et conformiste, on joue,
consciemment ou non, sur d'autres suggestions qu'un
lecteur averti ou imaginatif ne manquera pas de
percevoir.

L'histoire de la mythologie antique vue par les
textes savants du Moyen Age reste à faire. Un nombre
considérable de gloses et de commentaires, composés
depuis le cinquième siècle, ont amassé ce trésor de
signes mythiques. Outre les textes connus sous le
titre anonyme de *Mythographus*, il faut revoir les
commentaires dus à de grands auteurs comme Macrobe,
Fulgence, Jean Scot, Bernard Sylvestre, Jean de
Salisbury et Jean de Garlande. Mais cet inventaire
des signes mythologiques et de leurs interprétations
ne nous donnera pas immédiatement le sens d'ouvrages
composés comme le *Roman de la Rose*. Car les préoccupations d'un Jean de Meun, en écrivant un livre sur
l'amour et la nature, sont très différentes de celles
d'un théologien comme Guillaume de Conches. Le fait
le plus intéressant est que, s'éloignant des soucis de la
théologie chrétienne, il se rapproche de la signification
fondamentale de la mythologie païenne. Mais jusqu'où?

Nouvelle difficulté, d'ordre philosophique. Comment
situer le *Roman de la Rose* dans l'histoire des idées,
à partir des seuls faits dont nous disposons actuelle-

ment? Il faut renoncer à expliquer Jean de Meun par
l'aristotélisme, comme on l'a fait souvent, en l'opposant au platonisme de Guillaume de Lorris. Le schéma
était séduisant : l'un, tourné vers le passé, reflétait
le courant platonicien du XIIᵉ siècle; l'autre, plus
moderne, traduisait les progrès d'Aristote et de son
rationalisme pratique dans la philosophie du XIIIᵉ siècle.
Ce qui frappe le lecteur de Jean de Meun c'est au
contraire l'importance de sa dette à l'égard des néopla-
toniciens du XIIᵉ siècle, sans doute sous l'influence
plus directe d'Alain de Lille, mais aussi par une
sorte de logique de son enthousiasme poétique. Son
livre sur l'amour prolonge assurément le mouvement
de réconciliation avec la nature, sensible chez les
philosophes que l'on désigne, pour simplifier, comme
appartenant à l'École de Chartres (avec Thierry de
Chartres, Hugues de Saint-Victor et Jean de Salisbury) : ils se caractérisaient par leur attachement à la
philosophie du *Timée*, et à ceux qui les premiers,
chez nous, la retrouvèrent (Chalcicius, Macrobe et
Martianus Capella). Ils s'opposaient au pur mysticisme
d'un Bernard de Clairvaux et d'un Guillaume de Saint-
Thierry *(De Natura amoris)*, en ne considérant plus
seulement la nature comme un miroir du Créateur,
un livre de symboles où les choses ne sont que des
signes sans consistance d'une réalité métaphysique.
Dans le *Roman de la Rose* Genius peut représenter
l'aboutissement de cette culture chartraine, notamment par ses idées sur la création.

Les connaissances ont toutefois progressé, en
un siècle, et autour des écrits d'Aristote s'élargit
ce qu'on peut appeler la science de la nature. Aristote
est le philosophe de la Nature. Celle-ci fait l'éloge
de celui qui « ...toute science avait chère » (v. 18169).
C'est le professeur de physique dont elle recommande
l'enseignement au lecteur qui veut comprendre
les phénomènes naturels, comme l'arc-en-ciel :
« il lui conviendrait de se faire le disciple d'Aristote,
qui mit mieux en notes la nature qu'aucun homme

depuis l'époque de Caïn » (v. 18000-18003). Et elle
cite, à côté de lui, Alhazen et son livre des *Regards*.
Les progrès de la science renforcent la confiance
en la raison pour dissiper les « fables » qui, par exemple,
courent sur les apparitions nocturnes. Pour Jean
de Meun, qui ne peut dire si les songes ne sont que
mensonges (v. 18469-18470), il y a une foule de
croyances dont il convient de se délivrer. Mais la
physique d'Aristote n'a pas chassé la philosophie
érotique de Platon. Entre les deux philosophies
Jean de Meun n'avait pas à choisir, car il ne les
connaissait pas encore assez bien pour voir leurs
contradictions : pour le moment, elles se complètent,
comme une philosophie de la nature complète une
philosophie de l'amour. Le *Roman de la Rose* se
situe ainsi à un carrefour important de notre histoire
de la pensée. Il faut attendre encore deux siècles
avant que la tension idéologique ne devienne vraiment
sensible entre les deux courants philosophiques.
Jean de Meun semble espérer retrouver dans le
même amour la voix de la nature et la parole de
Dieu, la sapience de Nature et la sagesse de Genius.

Cette rencontre est dans la logique des rapproche-
ments entre la mythologie antique et le message
biblique. Dans ce genre d'exégèse depuis longtemps
élaboré par les théologiens, le *Roman de la Rose*
apporte plus d'audace. L'unité culturelle qui se
profile à travers la superposition des récits païens
et chrétiens ne se fait plus dans un sens théocen-
trique , mais anthropocentrique. La reconversion
est importante. Certes cet anthropocentrisme n'est
pas un humanisme, encore moins un naturalisme.
Mais il repousse insensiblement Dieu à la périphérie,
au ciel, en somme, tandis que l'attention se porte
sur l'histoire de l'homme et sur sa vie terrestre.

Dieu reste, il est vrai, dans le discours de Nature
comme dans le sermon de Genius, l'explication dernière
de l'ordre cosmique, le seul vrai créateur. Mais on
ne cherche pas sa Loi comme la révélation apportée

par un livre. La Bible est consultée de la même manière que les *Métamorphoses* d'Ovide. Le Dieu de la Genèse est présenté un peu comme le démiurge platonicien. Le mythe de l'Age d'Or et le Paradis terrestre se confondent dans l'allégorie qui nous explique l'apparition du temps dans l'ordre éternel de la vie. Le thème le plus fascinant chez notre auteur est celui qui explique la chute dans le temps par l'émasculation de Saturne. D'éminents écrivains, comme Macrobe et Fulgence, n'avaient pas craint de tirer des enseignements chrétiens de cette « figure » un peu scabreuse. Récemment Jean de Garlande en résumait le symbolisme dans trois distiques latins où il montrait que Saturne représente l'âge de la plénitude, de la « saturation »; son fils Jupiter est l'apparition du temps, comme manque de bonheur, privation; la naissance de Vénus figure le recours au plaisir comme principe de régénération, luttant contre la corruption et la mort consécutives à la chute de l'éternité dans le temps *(Integumenta Ovidii)*.

Les trois épisodes principaux qui développent le mythe de l'Age d'Or dans notre roman sont en accord avec les grandes lignes d'une telle interprétation. Mais on remarque une évolution entre la fonction du mythe chez Ami, surtout chargée de regret et d'amertume, et celle du mythe chez Genius, où l'espérance l'emporte sur la nostalgie. Le rôle de Jupiter, responsable de tout ce que notre vie comporte de travail et de peine, nous interdit de prêter à Jean de Meun trop de sympathie pour la divinité païenne, sous prétexte qu'il nous a commandé la quête du plaisir (v. 20053-20190). Figure du temps et de la stérilité, il s'oppose aux valeurs que notre auteur semble nous proposer : éternité et fécondité. Au Jupiter des *Georgiques* s'oppose le Jupiter des *Métamorphoses*, comme l'optimisme au pessimisme. Jean de Meun n'a pu considérer cette divinité comme la source de toute sagesse et de toute vérité.

C'est ici que Vénus entre en scène. Selon la mytho-

logie antique, née de la semence saturnienne, elle est la figure de la fécondité et de la volupté. Le *Roman de la Rose* lui consacre d'agréables passages, avec notamment la description de sa demeure, le récit de ses amours avec Adonis et deux anecdotes concernant ses amours avec Mars. Les théologiens comme Jean Scot ou Rémi d'Auxerre voyaient surtout en elle la délectation mortelle *(mortifera delectatio)*. Vulcain leur était plus sympathique, non seulement par sa place conjugale dans le trio mythologique, mais aussi par son travail de forgeron, symbolique et rassurant. Jean de Meun, sans renoncer à la vertu symbolique de Vulcain, tente une réhabilitation de son épouse. Le dénouement ne laisse à cet égard, aucun doute : c'est Vénus, donc la volupté, qui permet à l'acte générateur de s'accomplir. Mais tout au long du roman on remarquera la complaisance de l'auteur pour cette divinité. Avec elle, c'est le rôle de la sexualité féminine qui est considéré avec plus d'indulgence. Car en face du dieu Amour, son fils, c'est-à-dire Cupidon, divinité du désir masculin, elle représente plutôt le désir féminin, comme le fait comprendre l'image du brandon qui enflamme le château et surmonte les résistances de la demoiselle. Sa fonction est donc intéressante sur deux plans. D'un point de vue pratique l'éducation morale et sexuelle prend enfin en considération la réalité féminine, au lieu de s'en tenir aux désirs masculins. En ce sens Jean de Meun est en avance sur son temps, encore prisonnier des préjugés cléricaux et des illusions courtoises. Et du point de vue théorique et philosophique, la place de la volupté dans le processus régénérateur se trouve nettement reconnue et acceptée. Puisque Dieu veut la vie, il veut aussi le plaisir qui assure sa continuation.

Bien des thèmes secondaires du livre s'expliquent par rapport à cette thèse. Ainsi Jason, symbole de la convoitise qui lance les hommes dans des entreprises aventureuses (v. 9475), est aussi condamné pour son ingratitude envers Médée : c'est l'instabilité du désir masculin (v. 13199-13232). Au contraire les héros comme Deucalion et Cadmos, vainqueurs de la destruction, de la dévastation et du dépeuplement sont cités avec faveur (v. 17618 et 19706). On peut donc relire le *Roman de la Rose* avec plus d'attention et d'imagination pour chercher les rapports entre les différents exemples historiques ou mythologiques. Ce qui nous apparaît d'abord comme le bric-à-brac d'une culture hétéroclite prend une signification cohérente à la lumière des deux derniers discours et du dernier épisode allégorique. Mais l'auteur a-t-il bien calculé tous ces effets de sens? A-t-il prévu avec précision une telle exégèse? On ne saurait, pour l'instant, l'affirmer. Le lecteur est en effet déçu quand Jean de Meun apporte lui-même une glose à tel récit mythique, comme l'histoire d'Adonis : « Vous qui ne croyez pas vos amies, sachez que vous agissez bien follement » (v. 15723-15724). Nous avions la même déception en lisant la glose de Guillaume de Lorris après l'histoire de Narcisse : « Dames, apprenez cet exemple, vous qui vous condui-sez mal envers vos amis : car si vous les laissez mourir, Dieu saura vous en punir » (v. 1505-1508). Les com-mentateurs du Moyen Age avaient l'habitude de donner un sens très pauvre à des textes très riches. Est-ce encore le cas avec Jean de Meun? Poète, à sa manière il semble avoir voulu s'effacer derrière des « histoires » qui parlent d'elles-mêmes, et, conscient des limites rencontrées par les philosophes dans leurs raisonnements, il a pu compter sur la rencontre, le choc et la convergence de ces figures et des récits pour nous suggérer le sens caché de la vie humaine.

Pour dégager ce sens, il nous faut enfin aborder le problème religieux. Ceux qui considèrent la philoso-phie de Jean de Meun comme un naturalisme tiennent sans doute ses propos religieux pour des précautions idéologiques. Mais s'il a invoqué Dieu, s'il a même composé une longue parabole chrétienne, par la

bouche de Genius, ce n'est ni par peur, ni par provocation. On pourrait plutôt y voir la manifestation
d'une foi tranquille, dont les imprudences sont
celles d'un « illuminé », ou simplement celles d'un
poète entraîné par son inspiration.

Soyons d'abord sensibles à son enthousiasme,
son ardeur à célébrer la beauté et l'ordre de la nature
comme résultats de la création divine. C'est Dieu
qui a fait sortir le monde du chaos, « ...*car de neant
fist tout saillir* », comme dit Nature dans un très
bel éloge du Créateur (v. 16699-16737). Il nous dit
très clairement que Nature n'est que sa « chamberiere »,
sa « connetable », sa « vicaire » (v. 16750-16752).
L'amour de la nature, dont sa poésie se fait l'expression,
ne se substitue pas à l'amour pour Dieu. Évidemment,
si nous cherchons dans le *Roman de la Rose* les signes
de la foi chrétienne, on peut constater des lacunes,
des silences. Nous avons du mal à identifier le sens
du péché, surtout en ce qui concerne la luxure.
Néanmoins on nous rappelle à l'occasion que nous
n'avons qu'une mort à mourir, et qu'il faut attendre
le Jugement Dernier pour notre résurrection (v. 18431-
18439) : au moins l'auteur affirme ne pas vouloir
contredire cet article (v. 18440). La peur de la mort
et du Jugement transparaît à travers l'évocation
des enfers païens, des trois Parques, des Furies,
des tortures infligées à Tantale et Ixion. Mais pourquoi
préfère-t-il cette représentation antique aux figurations
plus proches de sa religion? De la Vierge Marie,
il est question en termes élogieux quoique familiers,
à propos de Platon qui n'a pas su concevoir la Trinité
ni l'incarnation du Verbe comme celle « ...*a cui
le ventres an tandi* » (v. 19095). Mais c'est surtout
Jésus dont on sent l'influence, moins dans telle
invocation incidente de Nature (v. 19162), le personnage étant surtout intéressé par le Dieu de la Genèse,
que dans le sermon de Genius.

La promesse de Paradis, que comporte ce discours,
s'illustre en effet d'une description dont les couleurs

pastorales marquent un retour séduisant au style
et au sentiment du premier christianisme. La comparaison des âmes aux brebis, l'image du « bon pasteur »,
de l'agneau, « *li filz de la Vierge, berbiz/o toute sa
blanche toison* », tous ces détails nous font sortir
de l'allégorie personnelle pour rejoindre le symbolisme
chrétien le plus traditionnel. Jean de Meun entend
opposer le parc du Paradis au jardin décrit par
Guillaume de Lorris. La critique minutieuse qu'il
fait faire, par Genius, de ce jardin corrige les symboles
courtois par des symboles chrétiens. Ainsi la figure
du cercle remplace celle du carré, comme plus subtile
et plus parfaite (v. 20244-20268). L'image du monde,
de l'enfer, de la terre, de la mer, de l'air et des cieux
représente tout ce qui est exclu du parc, et non
plus seulement les portraits de quelques vices. Il
y coule une rivière dont l'eau assure l'éternité, alors
que celle de Narcisse donne la mort (v. 20357-20394).
L'eau coule par trois conduites et non plus deux
tout en ne constituant qu'une seule source (symbole
de la Trinité). Elle ne vient pas d'en bas mais d'en
haut. Elle baigne non plus un pin, mais un olivier,
arbre du Christ. Elle est éclairée non par le soleil
se mirant dans le cristal de l'eau, mais par une
escarboucle, source de lumière. C'est donc la « fontaine
de vie », qui fait contraste avec celle de Narcisse,
« fontaine de mort ». Une vie éternelle est promise
à ceux qui auront fait leur devoir sur la terre. Ainsi,
appliquant le symbolisme chrétien à une image
allégorique élaborée par la poésie courtoise, Jean
de Meun recompose le mythe du Paradis.

Le rapport entre ce mythe et le thème de l'amour
est évidemment une des clés essentielles pour l'interprétation du roman. S'il s'agissait de nous convertir
à quelque forme d'amour mystique, la relation
serait immédiate. Mais il est peu probable que le poète
ait choisi une voie aussi tortueuse et même scabreuse
pour nous conduire là. En particulier les diverses
métaphores sexuelles heurteraient le goût et le bon

sens du lecteur le moins pudibond. En fait, l'idée charnière est bien celle de la génération. Ce traité d'éducation amoureuse est hanté par l'image de la destruction, et porté par l'aspiration à la stabilité, à la vérité et à l'éternité. C'est pourquoi l'enseignement moral et pratique s'anime et prend une ampleur épique. Comme dans une épopée antique nous voyons la vie se dérouler sur plusieurs plans, les divinités mythologiques et les personnifications allégoriques apportant un commentaire dramatique aux actions des hommes, à l'aventure du héros. Il est probable que le modèle de l'*Enéide* est responsable de certains de ces effets littéraires. Mais c'est une *Enéide* qui aurait connu le commentaire de Bernard Sylvestre, où l'action épique elle-même sert de parabole à une réflexion métaphysique. Au-dessus de l'Olympe il y a encore le Dieu des chrétiens. Le roman allégorique est donc une grande machine qui met en relation les différents niveaux de connaissance, et sa fonction est de représenter cette autre grande machine qu'est le monde. Construite comme celui-ci, elle en fait bien comprendre l'unité dans la diversité, en révélant l'analogie entre le cosmos et ce monde en réduction, ce *microcosme* qu'est l'être humain, et surtout en rappelant la lutte entre l'être et le non être : lutte qui donne son sens à la vie terrestre, partagée entre l'amour et la mort.

Mais ce qui distinguerait une épopée mystique de cette fresque philosophique, ce serait la conversion du sentiment amoureux, l'orientation de l'âme vers Dieu, le cœur servant alors de guide pour nous élever au divin. Déjà, chez Alain de Lille, cette direction mystique de l'amour s'effaçait devant une conception plus intellectuelle de l'âme du monde. Chez Jean de Meun on constate simplement l'accord entre la loi du désir et la Loi de Dieu, et cette juxtaposition, cette superposition de lois homologues correspond bien à la vision allégorique du monde. Les seules relations établies par la connaissance sont alors des relations de similitude. L'œuvre de Jean de Meun est, de ce point de vue, parfaitement cohérente : elle a le style et l'imagination qui conviennent à sa métaphysique. C'est bien un monument de l'âge scolastique.

Avant de conclure son roman, alors que tous les personnages ont fini leur discours et que le narrateur a entamé le dernier récit allégorique, qui va livrer la rose à l'amoureux vainqueur, Jean de Meun fait intervenir un mythe pour nous aider à tirer le sens de la conclusion : c'est l'histoire de Pygmalion. Mais parce que c'est le dernier exemple et parce que cette fois c'est bien le poète qui nous parle, nous découvrons dans cet épisode la plus précieuse indication sur la doctrine, sur l'art, et même sur la mentalité de Jean de Meun. Développant les cinquante vers des *Métamorphoses* (X, 244-297), il nous décrit en détail le comportement amoureux de Pygmalion, qui semble d'abord, comme dans les gloses cléricales, un exemple de fétichisme et d'idolâtrie. Comme chez Ovide, le dénouement repose sur l'intervention de Vénus, qui répond à la prière du sculpteur en donnant la vie à la statue dont il est tombé follement amoureux.

En fait, c'est non seulement son adoration que la déesse est venue récompenser, mais aussi les efforts de Pygmalion pour modeler, puis pour émouvoir, réchauffer, « amollir » l'être de pierre. La leçon d'éducation sexuelle trouve ici une illustration éloquente, le rôle des initiatives masculines dans l'éveil de la sensualité féminine étant clairement indiqué. Mais à un niveau plus profond de mentalité, le choix de Pygmalion est très significatif. Car Pygmalion n'est pas encore le symbole de l'artiste tel que la Renaissance aimera le présenter. Le travail de Pygmalion est plutôt celui de l'alchimiste, qui opère une transmutation de la matière. La génération de l'être vivant, et plus généralement toutes les métamorphoses de la nature, semblent conçues

chez Jean de Meun selon un schéma apparenté
à l'alchimie. Remarquons que notre auteur, très
sceptique et même hostile, quand il discute les diverses
croyances en la magie, est au contraire prudent,
voire élogieux, devant l'alchimie : « *Ne porquant, c'est
chose notable,/alkimie est art veritable* » (v. 16053-16054).

Il est peu probable que Jean de Meun ait été
lui-même alchimiste. Ses propos révèlent qu'il en
parle par ouï-dire et d'après des lectures. Mais il
faut bien reconnaître que l'époque n'a pas d'autre
modèle de savant à offrir. L'alchimie est le rêve
ou le programme d'une science à son éveil. En accord
avec la physique aristotélicienne, usant abondamment,
dans son langage symbolique mais aussi dans sa
logique, de l'opposition entre le masculin et le féminin,
le discours alchimique ressemble à celui du *Roman
de la Rose* dans le rapport qu'il établit entre la sexualité
et la matière, la vie et la mort, l'amour et la religion.
Nul besoin d'aller chercher une étroite parenté
entre notre texte et une doctrine ésotérique. Nous
ne faisons que retrouver dans l'œuvre poétique
une structure idéologique de son époque. La pensée
alchimique connaît en effet, une évolution par rapport
à la pensée magique. Mais elle n'apporte pas encore,
elle prépare seulement, la pensée scientifique. Par
rapport à Guillaume de Lorris, au mythe de Narcisse,
à la pensée amoureuse des romanciers courtois, la
pensée de Jean de Meun témoigne d'une évolution
semblable dans l'imagination poétique. Sa définition
de l'art, l'image de la forge pour représenter le travail
de nature, le symbole du Phénix pour figurer la
pérennité des espèces (v. 15947-15974) : autant
de signes qui nous font reconnaître, dans le dévoilement
érotique et poétique de ce livre, la curiosité des
esprits alors les plus audacieux pour les secrets de
la matière, de la vie et de l'univers.

Mais les métaphores les plus spontanées de notre
poète, celles dont il se sert dans le discours de Genius
et encore dans les dernières lignes pour désigner

l'acte procréateur trahissent, outre une certaine admiration pour le travail artisanal et le « grand art », une sympathie naturelle pour les travaux de la terre, une dette considérable à l'égard de la cléricature, et surtout la conscience orgueilleuse de sa condition d'écrivain. Ainsi la leçon de ce *Miroir aux amoureux* est-elle qu'il faut forger, labourer et semer, et surtout écrire avec les « greffes », les stylets que la nature nous a donnés :

> Ne vos lessiez pas desconfire,
> greffes avez, pansez d'escrire... (v. 19763-64)

Dans cette allégorie la *lettre* apparaît comme aussi vraie que la *sentence :* nous comprenons l'enthousiasme créateur qui a porté notre clerc jusqu'au terme de son ouvrage; il s'est acquitté à sa manière (au prix de 17722 vers !) de sa dette à l'égard des instances divines par lui évoquées : Vénus, Amour et Nature. Mais au moment où prend fin ce songe laborieux, un doute subsiste sur la signification d'un message dont chacun pressent l'importance, mais dont personne ne peut prétendre saisir l'exacte substance. Les révélations de notre auteur ont-elles « défloré » la belle image de Guillaume de Lorris? La composition du *Roman de la Rose*, telle que Jean de Meun la propose, maintient les deux faces du symbole. Comme dans l'architecture médiévale, celle de l'église Saint-Etienne de Beauvais, *rota* et *rosa* sont l'envers et l'endroit d'un même signe. La roue de Fortune, qui nous fait voir de l'extérieur le monde terrestre, le temps et l'instabilité de la vie humaine, fait place à la rose lumineuse, quand on pénètre à l'intérieur de l'édifice, représentant le monde céleste, l'éternité et Dieu. Le lecteur ne reste pas à l'extérieur de l'œuvre. Il est attiré dans le clair-obscur de l'allégorie où brille encore le symbole vermeil : autour de son image tout le mystère de l'amour sans cesse se recompose.

CONCLUSION

Car c'est ici qu'on peut dire en toute vérité :
autre est le semeur, autre le moissonneur.

Jean, iv, 37

LES historiens de la littérature n'ont pas encore
bien mesuré le succès et l'influence du *Roman
de la Rose*. Il faudrait un long travail pour
étudier d'une part les commentaires dont l'œuvre
a été l'objet, d'autre part les textes qui s'en inspirent.
De cette ample moisson philosophique et poétique
Guillaume de Lorris avait semé la graine en choisissant
une forme d'allégorie hermétique; sa narration,
laissée en suspens, nous invitait à nous interroger
sur le secret ainsi gardé avec un soin jaloux; le style,
les images et les idées s'accordaient pour nous donner
l'impression d'un système clos. Expression d'un
groupe social replié sur lui-même, ces signes poétiques
enveloppaient un sens caché, à deviner. Jean de
Meun apparaît à la fois comme le premier commentateur
et le premier imitateur. Avec son allégorisme bavard
il submerge le lecteur de signes contradictoires :
sa poésie « ouverte » présente d'autres difficultés
que la poésie « fermée ». Elle attend, elle aussi,
l'interprétation de ceux qui la feront fructifier.
Les écrivains du XIIIe siècle ont peut-être calculé
leurs ambiguïtés. Pour eux la lecture est la quête
d'un sens possible, et non la recherche d'une signification réelle.

Un premier aperçu des interprétations du *Roman
de la Rose* nous est fourni par les illustrations des

manuscrits. Certaines, d'une couleur nettement religieuse, habillent l'amant en moine et Oiseuse en
prostituée; on en a tiré argument pour étayer la
théorie attribuant, non seulement à Jean de Meun,
mais aussi à Guillaume de Lorris des intentions
théologiques. Mais l'art des enlumineurs est un
compromis entre les traditions iconographiques,
les nécessités de la mise en page, l'intelligence du
texte, et le goût du public. Le goût courtois triomphe
dans les illustrations d'autres manuscrits, tel celui
que la bibliothèque de Yale vient d'acquérir (n° 418),
et dont les 66 tableaux constituent de fort beaux
documents sur l'art de la peinture française vers 1460.
Si l'amoureux, terrassé par Danger, est étendu la
tête sur les genoux de Peur, habillée en religieuse,
cette scène inspirée par une *Pietà* n'implique évidemment pas une interprétation christologique du
Roman. L'amoureux est d'ailleurs costumé en damoiseau, et les décors, les visages font penser à l'art
de la cour d'Anjou. Dira-t-on que l'évolution du
goût nous éloigne de conceptions plus authentiques?
En fait, dès le xive siècle les avis sont partagés.
Grosso modo une vision cléricale s'oppose à une
vision courtoise, l'œuvre comportant des éléments
pouvant étayer l'une et l'autre.

Nous retrouvons cette opposition dans les références
littéraires et les débats qui ont dû commencer dès
la fin du xiiie siècle, peut-être même dès 1277,
puisque certaines des propositions condamnées par
le pape Jean XXI peuvent, sans grand effort, être
attribuées à Jean de Meun (« quod continentia non
est essentialiter virtus; — quod simplex fornicatio,
utpote soluti cum soluta, non est peccatum »). Disons
tout de suite que l'esprit clérical tantôt conduit,
ainsi, à la condamnation du livre, tantôt à une
interprétation tendancieuse, qui le ramène à l'ortho-
doxie. Les remaniements effectués par Gui de Mori
dans sa version de 1290 environ atténuent l'opposition
entre les deux auteurs du *Roman*, en systématisant

l'allégorie morale (notamment par la critique de l'orgueil, prêtée à Guillaume de Lorris). Dans son *Pèlerinage de la Vie humaine* (1330-1335) Guillaume de Digulleville est plus nettement hostile, mais ses critiques préparent le sens que d'autres théologiens, à la fin du siècle, prétendront trouver dans l'œuvre, pour la défendre. Guillaume de Machaut, dont l'audience poétique sera, pendant un siècle, considérable, a largement contribué à faire du *Roman de la Rose* le texte canonique d'un renouveau courtois orienté vers une sagesse consolatrice : on découvre dans les deux parties du roman les bases de ce stoïcisme amoureux qui prépare les chevaliers de la Guerre de Cent ans à supporter tous les revers de fortune. Depuis ses premières œuvres, comme le *Dit du Verger*, jusqu'à ses dernières comme la *Fontaine Amoureuse*, le décor poétique et la création psychologique ont pour modèle Guillaume de Lorris, tandis que les exemples mythologiques et les idées morales dérivent aussi bien de lui que de Jean de Meun.

Un syncrétisme du même genre apparaît dans la poésie de Charles d'Orléans. Sa *Retenue d'Amour*, ses premières ballades et ses chansons restent plus fidèles à la première partie du *Roman*, tandis que la *Départie d'Amour*, les ballades et rondeaux qui lui font suite, doivent à Jean de Meun leur philosophie du temps, leur scepticisme et leur ironie. Mais la nouveauté du xve siècle, par rapport au modèle allégorique, serait le rôle joué par la personnification du Cœur, qui, avec une autre représentation psychologique, révèle un souci sentimental, voire mystique, absent du *Roman de la Rose*. René d'Anjou, avec le *Livre du Cœur d'Amour espris*, va tenter de récrire l'histoire d'un amour malheureux avec les préoccupations religieuses et artistiques propres à la seconde moitié de ce xve siècle.

A côté de l'allégorie amoureuse, dont on peut suivre ainsi l'évolution, un autre thème, dérivant du *Roman de la Rose*, retient l'attention des auteurs

et gagne la faveur du public : c'est le problème de
la condition féminine. Il est posé, d'une façon assez
sensationnelle, par Christine de Pisan, dès les premières
années du XVᵉ siècle. C'est le moment où la cour
royale se déguise en *Cour d'Amour*. Notre poétesse,
naturellement favorable à toute institution assurant
aux femmes un certain respect, rêve d'un « ordre »
de chevalerie plus sincèrement voué au culte des
Dames : elle écrit un *Dit de la Rose* dans cet esprit.
Mais elle manifeste sa méfiance et même sa réprobation
pour le *Roman de la Rose*. Dans l'*Epistre au Dieu
d'Amours*, après avoir qualifié l'*Ars amatoria* ovidienne
de « livre d'art de grant decevance », elle ironise
sur les conseils stratégiques prodigués par Jean
de Meun :

> Quel long procès, quel difficile chose,
> Et sciences et cleres et obscures
> Y met-il là et de grans aventures !
> Et que de gent soupploiez et rovez (interrogés)
> Et de peines et de baraz trouvez
> Pour decevoir sans plus une pucelle
> (C'en est la fin) par fraude et par cautelle ! (v. 39-45)

Elle dénonce le libertinage en pensée, en parole
et en acte dont la femme honnête risque d'être la
victime. Dénonciation qui a le don d'irriter un petit
groupe de secrétaires royaux : ils prennent la défense
de Jean de Meun, et ainsi commence la *Querelle
du Roman de la Rose*, dont les premiers documents
ont été rassemblés par Christine de Pisan en un
dossier qu'elle adresse à la reine Isabeau en 1402.
On y trouve les lettres échangées avec Jean de Mon-
treuil, qui chantait les louanges du *Roman* dans
un traité perdu, et avec Gontier Col. Christine parle
de la « pollucion de pechié » qui s'attache à l'acte
de chair, et s'offusque de voir nommées les « choses
désonnestes ». Gontier Col présente Jean de Meun
comme « vray catholique, solennel maistre et dotteur
en son temps en sainte theologie, philosophe très

parfont et excellent, saichant tout ce qui a entendement est scible » (lettre du 13 septembre 1401). D'autres lettrés entrent dans le débat : Pierre Col vole au secours de la défense, tandis que Jean Gerson reprend les critiques dans un *Traictié contre le Rommant de la Rose* (mai 1402) et des sermons. Selon lui le Fol amoureux a chassé Chasteté, discrédité le mariage, blâmé ceux qui entrent en religion, usé de paroles luxurieuses et blasphématoires, promis le Paradis à ceux qui accomplissent des œuvres charnelles hors mariage. Il faut brûler le livre.

Ce débat n'oppose pas l'humanisme et la théologie, comme on l'a d'abord pensé, mais ceux qui croient, ou feignent de croire, compatibles les idées satiriques de Jean de Meun et sa profession de foi chrétienne, à ceux qui redoutent les effets d'une lecture jugée moralement pernicieuse et spirituellement dangereuse. Il est probable que l'appétit pour les nourritures terrestres, que le *Roman de la Rose* affirme être bénéfique, a rendu certains intellectuels moins exigeants sur le plan spirituel.

La Querelle aura des suites, jusqu'au milieu du xvie siècle. Mais on va dissocier le problème religieux de la question des femmes. A celle-ci se rapporte l'affaire de la Belle Dame-sans-Merci. Alain Chartier a en effet retenu de sa lecture du *Roman* un certain scepticisme à l'égard des déclarations d'amour courtois; il prête donc à son personnage féminin une ironie digne de Christine de Pisan, que ne peut désarmer son Amant-martyr (1424). De nombreux poèmes allégoriques reprennent le débat, tantôt pour blâmer la Dame, tantôt pour l'excuser. Un peu en marge de ce débat, Martin le Franc écrit le *Champion des Dames*, encore plus long que le *Roman de la Rose* qu'il corrige. Villon, souvent très proche de Jean de Meun, développe volontiers sa morale cynique, prenant le parti, non des Dames, mais des femmes de petite vertu, de mauvaise vie et de malheureuse fortune. Rappelons simplement

que la Querelle des femmes reprendra avec vigueur
et malice en 1542.

L'interprétation religieuse a aussi ses variations.
Écrivant une version en prose du *Roman de la Rose*
(1483), Molinet ajoute des gloses ou « moralités »;
il réserve ainsi à cette œuvre le sort qu'avait connu
Ovide lui aussi « moralisé ». Guillaume de Lorris,
qui a reçu les lois d'Amour, évoquerait Moïse, tandis
que Jean de Meun, nouveau saint Jean, aurait rédigé
l'Évangile de cette Bible allégorique. Une version
en vers attribuée par Etienne Pasquier à Clément
Marot et entièrement récrite dans la langue du
XVIe siècle (1526), est précédée d'une *Exposition
morale* selon laquelle la rose peut figurer l'état
de sapience, l'état de grâce, la Vierge Marie et le
Souverain Bien. Mais cette préface peut être seulement
un déguisement idéologique. Elle témoigne en tout
cas de la fascination grandissante exercée par l'allégorisme ésotérique (on s'y réfère à l'*Ane d'Or* d'Apulée)
sur la pensée morale de cette époque : dans notre
livre on flaire tantôt l'encens, tantôt le soufre.

Sur le plan du langage poétique, la fortune du
Roman de la Rose est plus difficile à suivre. Facilitée
par de nombreuses éditions imprimées jusqu'en 1522,
elle est attestée par les allusions élogieuses de Jean
le Maire des Belges *(Concorde des deux langages)*,
Thomas Sebillet, Du Bellay et Ronsard. Plus d'une
fois revient la comparaison avec Dante, mais la
grandeur de l'œuvre n'est bientôt plus l'objet que
d'une vénération distante. On devine ce qui met
fin à son influence directe, au milieu du XVIe siècle.
C'est d'abord l'essor du véritable humanisme, qui
offre une connaissance de la mythologie et de l'histoire
antiques éclipsant les *exemples* du *Roman;* c'est
aussi le regain de vigueur dans la littérature satirique,
rendant moins percutantes les tirades de Jean de
Meun; c'est enfin l'apparition de la Réforme évangé-
lique répondant mieux aux aspirations, déjà anciennes,
dont Jean de Meun se faisait l'écho.

Si l'on veut, en effet, rendre tout son sens et tout son mérite au *Roman de la Rose*, il faut le considérer non comme le manifeste de telle ou telle tendance doctrinale, théologique ou au contraire naturaliste, mais comme la protestation d'une conscience morale et religieuse devant certains abus, certaines contraintes qui compromettent et l'Église et le monde. Du moins est-ce ainsi que Jean de Meun rectifie la méfiance et le mépris courtois que symbolise le refuge dans le jardin de Deduit. Mais a-t-il été entraîné trop loin par le démon de la logique ou celui de la chair? Toujours est-il que la force de son texte est moins dans la réforme que dans la révolte. Or c'est ici que les deux auteurs du *Roman de la Rose* trouvent, devant la postérité, leur plus flagrant contraste. Car Guillaume de Lorris a poussé jusqu'à ses extrêmes conséquences l'ascèse courtoise, ce qu'on appellerait aujourd'hui la censure, voire la répression sociale. Au contraire Jean de Meun a lutté contre les contraintes et les censures, y compris la censure naïve qui nous interdit l'usage de certains mots jugés malhonnêtes, et la contrainte subtile qui nous impose l'obsession du péché charnel. Que reste-t-il d'un tel mouvement de révolte, quel fruit tirer d'un tel enseignement? Séduction, libération, conversion : tout est possible à partir de cette poésie. Mais son obscurité est surtout une invitation à réfléchir. Le dialogue avec l'œuvre fait se multiplier les écrits. « D'autres ont travaillé, et vous, vous êtes entrés dans leur travail ».

BIBLIOGRAPHIE

SIGLES

CAIEF : *Cahiers de l'Association Internationale des Études Françaises.*
CCM : *Cahiers de Civilisation Médiévale.*
GdL : Guillaume de Lorris .
JdM : Jean de Meun.
PMLA : *Publications of the Modern Language Association of America.*
RdR : *Roman de la Rose.*
ZFRP : *Zeitschrift für Romanische Philologie.*

I. Manuscrits :

LANGLOIS (E.), *les Manuscrits du « Roman de la Rose »*, Lille et Paris, 1910.
JUNG (M.-R.), « Ein Fragment des Rosenromans in der Stiftsbibliothek Engelberg », *Vox Romanica*, 24 (1965), p. 234-237.
Voir aussi l'édition LECOY (*infra*, III), introduction, p. XXXVI, note 1.

II. Références bibliographiques :

BOSSUAT (R.), *Manuel Bibliographique*, nº 2806-2851, 6551-6558, 7718-7727.
Grundriss der Romanischen Literaturen des Mittelalters, VI/2, Heidelberg, 1970, nº 4664 et 4672, et p. 440-442.
JUNG (M.-R.), « Der Rosenroman in der Kritik seit dem 18. Jahrhundert », *Romanische Forschungen*, 78 (1966), p. 203-252.
Voir aussi le livre de GUNN (*infra*, IV), p. 521-544.

III. Éditions :

La première édition savante, essayant de reconstituer l'œuvre à partir de plusieurs manuscrits, est celle de M. MÉON : *le Roman de la Rose par Guillaume de Lorris et Jehan de Meung*, 4 vol., Paris, Didot, 1814.

On pourra contrôler ce travail avec notre édition (Garnier-Flammarion) du manuscrit de base, et surtout celle d'E. LANGLOIS :

Le Roman de la Rose par GdL et JdM (Société des Anciens textes français), Paris, Firmin-Didot, 5 vol., 1914-1924.

Partant du même principe que MÉON, LANGLOIS nous propose un texte reconstitué, donc hypothétique; mais il est le fruit d'une information et d'un raisonnement qui méritent encore notre considération.

La meilleure et la plus récente édition part d'un autre principe; elle nous donne la version du meilleur manuscrit (Paris, B.N. fr. 1573) : GdL et JdM, *Le Roman de la Rose*, publié par F. LECOY, Paris, Champion, 3 vol. 1965-1970 (Classiques français du Moyen Age : n° 92, 95, 98). Elle comporte, comme celle de Langlois, des notes et un glossaire.

Il existe une traduction en français moderne publiée par A. MARY chez Gallimard en 1928 (plusieurs rééditions) : *GdL et JdM, Le RdR mis en français moderne.* Une autre, par A. LANLY, vient de paraître chez Champion.

IV. Ouvrages principaux (ordre chronologique) :

LANGLOIS (E.), *Origines et sources du RdR*, Paris, 1891.

GUILLON (F.), *Jean Chopinel dit de Meung : le RdR considéré comme document historique du règne de Philippe le Bel*, Paris-Orléans, 1903.

THUASNE (L.), *Le Roman de la Rose*, Paris, 1929 (Les grands événements littéraires).

LEWIS (C. S.), *The Allegory of Love* (1936), nouvelle éd. New York, 1958.

PARÉ (G.), *Le RdR et la scolastique courtoise*, Paris-Ottawa, 1941.

SNEYDERS DE VOGEL (K.), *De Rozeroman. Een Beeld uit het Middeleeuwsche Cultuurleven*, La Haye, 1942.

PARÉ (G.), *Les idées et les lettres au XIIIe siècle. Le Roman de la Rose*, Montréal, 1947.

MÜLLER (F. W.), *Der Rosenroman und der latein Averroïsmus*, Frankfurt am Main, 1947.

GUNN (A. M.), *The Mirror of Love. A reinterpretation of « The Romance of the Rose »*, Lubboch, Texas, 1952. C'est la plus importante monographie publiée à ce jour.

BOURNEUF (A.), *Le Testament de JdM*, thèse, Fordham, 1956.

COHN (N.), *The World-View of a thirteenth Century Parisian Intellectual :* JdM and the RdR, Durham, 1961.

JAUSS (H. R.), *Genèse de la poésie allégorique française au Moyen Age* (de 1180-1240), Heidelberg, 1962. Étude publiée une nouvelle fois dans le *Grundriss der romanischen Literaturen*, VI/1 (v. *supra* II).

HICKS (E.), *Le visage de l'antiquité dans le Roman de la Rose*, diss. Ph. D. Yale University, 1965.

FLEMING (J. V.), *The Roman de la Rose. A Study in Allegory and Iconography*, Princeton, 1969.

CRESPO (R.), *JdM, traduttore della Consolatio Philosophiae di Boezio*, Turin, 1969.

JUNG (M.-R.), *Études sur le poème allégorique en France au Moyen Age*, Berne, Franke, 1971 (Romanica Helvetica, n⁰ 82).

V. Ouvrages à consulter sur le contexte culturel (ordre alphabétique) :

BATTAGLIA (S.), *La Coscienza letteraria*, Naples, 1965 (p. 417-434).

CORNELIUS (R.), *The Figurative Castle. A Study in the Medieval Allegory of the Edifice with especial Reference to Religious Writings*, Bryn Mawr, 1930.

COURCELLE (P.), *La Consolation de Philosophie dans la tradition littéraire*, Paris, 1967.

CURTIUS (E. R.), *La Littérature Européenne et le Moyen Age latin*, trad. Bréjoux, Paris, 1956.

DE BRUYNE (E.), *Études d'Esthétique médiévale*, 3 vol. Bruges, 1946.

DUFEIL (M.-M.), *Guillaume de Saint-Amour et la polémique universitaire parisienne*, 1250-1259, Picard, 1972.

GARIN (E.), *Studi sul platonismo medievale*, Florence, 1958.

JORET (CH.), *La Rose dans l'Antiquité et au Moyen Age*, Paris, 1892.

JUNG (C.-G.), *Psychologie et Alchimie*, trad. Pernet, Paris, 1970.

LE GENTIL (P.), *La Littérature française au Moyen Age*, Paris, 1963.

NELLI (R.), *L'Érotique des troubadours*, Toulouse, 1963.

PARENT (J.-M.), *La Doctrine de la création dans l'École de Chartres*, Paris-Ottawa, 1938.

POLLMANN (L.), *Die Liebe in der hochmittelalterlichen Literatur Frankreichs. Versuch einer historischen Phänomenologie*, Frankfurt am Main, 1966.

RAYNAUD DE LAGE (G.), *Alain de Lille, poète du XIIᵉ siècle*, Montréal-Paris, 1951.

REGALADO (N.), *Poetic Patterns in Rutebeuf*, New Haven, Conn., 1970.

ROUGEMONT (D. de), *L'Amour et l'Occident*, Paris, Plon, 1939.

SEWARD (B.), *The Symbolic Rose*, New York, 1968.

TUVE (R.), *Allegorical Imagery*, Princeton, 1966.

WETHERBEE (W.), *Platonism and Poetry in the Twelfth Century*, Princeton, 1972.

ZUMTHOR (P.), *Essai de poétique médiévale*, Paris, 1972.

VI. Articles anciens mais importants :

CURTIUS (E. R.), « Natura mater generationis », *Zeitschrift für Romanische Philologie*, 58 (1938), p. 180-197.

DENOMY (A. J.), « The de Amore of Andreas Capellanus and the condemnation of 1277 », *Mediaeval Studies*, 8 (1946), p. 107-149.

FARAL (E.), « Le Roman de la Rose et la pensée française au XIIIe siècle », *Revue des Deux-Mondes*, 5 (1926), p. 439-457.

FENLEY (G. W.), « Faus-Semblant, Fauvel, and Renart le Contrefait : A study in Kinship », *Romanic Review*, 23 (1932), p. 323-331.

FRANÇON (M.), « JdM et les origines du naturalisme de la Renaissance », PMLA 59 (1944), p. 624-645.

GALPIN (S. L.), « Fortune's Wheel in the RdR », PMLA, 24 (1909), p. 332-342.

GILSON (E.), « La Cosmogonie de Bernardus Silvestris », *Archives d'Histoire doctrinale et littéraire du M. A.*, 3 (1928), p. 5-24.

GREEN (R. H.), « Alan of Lille's *De Planctu Naturae* », *Speculum* 31 (1956), p. 649-674.

HATZFELD (H.), « La Mystique naturiste de JdM », *Wissenschaftliche Zeitschrift der F. Schiller Univ. Jena*, 1955/56, p. 259-269.

JEAUNEAU (C.), « L'usage de la notion d'*integumentum* à travers les gloses de Guillaume de Conches », *Archives d'Histoire doctrinale...*, 39 (1957), p. 35-100.

KNOWLTON (E. C.), « Genius as an allegorical figure », *Modern language Notes*, 39 (1924), p. 85-95. — « The allegorical figure Genius », *Classical Philology*, 15 (1920), p. 280-284.

MUSCATINE (CH.), « The emergence of psychological allegory in old french roman », PMLA 68 (1953), p. 1160-1182.

RAYNAUD DE LAGE (G.), « Nature et Genius chez Jean de Meung et Jean le Maire des Belges », *Le Moyen Age*, 58 (1952), p. 125-143.

VII. Articles récents :

BADEL (P. Y.), « Raison, fille de Dieu, et le rationalisme de Jean de Meun », *Mélanges... Frappier*, Genève, 1970, p. 41-52.

BATANY (J.), « Paradigmes lexicaux et structures littéraires au Moyen Age », *Revue d'histoire littéraire de la France*, 70 (1970), p. 819-835.

DAHLBERG (CH.), « Macrobius and the unity of the RdR », *Studies in Philology*, 58 (1961), p. 573-582. — « Love and the RdR », *Speculum* 44 (1969), p. 568-584.

DEFOURNY (M.), « Le RdR à travers l'histoire et la philosophie », *Marche Romane*, 17 (1967), p. 53-60. — « Observations sur la première partie du RdR », *Mélanges... R. Lejeune*, Gembloux, 1969, p. 1163-1169.

DEMATS (P.), « D'Amoenitas à Deduit. André le Chapelain et GdL », *Mélanges... Frappier*, Genève, 1970, p. 217-233.

DELHAYE (PH.), « La vertu et les vertus dans les œuvres d'Alain de Lille », CCM 5 (1963), p. 13-25.

FRAPPIER (J.), « Variations sur le thème du Miroir, de Bernard de Ventadour à Maurice Scève », CAIEF 11 (1959), p. 134-158. — « Le thème de la lumière de la Chanson de Roland au RdR », CAIEF 20 (1968), p. 101-124.

FRIEDMAN (L.), « Gradus amoris », *Romance Philology*, 19 (1965), p. 167-177. — « JdM's antifeminism and bourgeois realism », *Modern Philology*, 57 (1959), p. 13-23. — « JdM and Ethelred de Rievaulx ». *L'esprit créateur*, 2 (1962), p. 135-141.

HILL (TH.), « La Vieille's digression on free love. A note on rhetorical structure in the Romance of the rose », *Romance Notes* 8 (1960), p. 113-115.

KANDUTH (E.), « Der Rosenroman, ein Bildungsbuch », ZFRP 86 (1970), p. 509-524.

KATHERINE (M.), « Scholastic and Averroistic influences on the RdR », *Annale Medievale*, 11 (1970), p. 89-106.

KŒHLER (E.), « Narcisse, la Fontaine d'Amour et GdL », *L'Humanisme médiéval dans les littératures romanes*, Paris, 1964, p. 147-166.

KOLB (I.), « Oiseuse, die Dame mit dem Spiegel », *Germanisch romanisch Monatschrift*, t. 15 (1965), p. 139-149.

LECOY (F.), « Sur un passage délicat du RdR », *Romania* 85 (1964), p. 372-376.

LEPAGE (Y.), « Le RdR et la tradition romanesque au Moyen Age », *Études littéraires* 4 (1971), p. 91-106.

MAC KEAN (F.), « The role of Faux Semblant and Astenance Contrainte in the RdR », *Romance Studies in Memory of E. Ham*, Hayward, Calif., 1967, p. 103-108.

MILAN (P. B.), « The Golden Age and the political theory of JdM », *Symposium* 23 (1969), p. 163-167.

NICHOLS (ST. G.), « The Rhetoric of Sincerity in the RdR », *Romance Studies in Memory of E. Ham*, 1967, p. 115-129.

POIRION (D.), « Narcisse et Pygmalion dans le RdR », *Mélanges... L. Solano*, Chapel Hill, 1970, p. 153-165.

RYDING (W. W.), « Faus Semblant, Hero or Hypocrite? », *Romanic Review*, 60 (1969), p. 163-167.

STONE (D.), « C. S. Lewis and Lorris' Lady », *Romance Notes*, 6 (1964), p. 196-199. — « Old and new Thoughts on GdL », *Australian Journal of French Studies*, 2 (1965), p. 157-170.

STROHM (P.), « Guillaume as Narrator and Lover in the RdR », *Romanic Review*, 59 (1968), p. 3-9.

WETHERBEE (W.), « The Literal and Allegorical. JdM and the *De Planctu Naturae* », *Mediaeval Studies*, 33 (1971), p. 264-291.

VIII. Langue

Les deux auteurs sont originaires de l'Orléanais; il semble que leur dialecte diffère légèrement. Mais aucune étude sérieuse n'a été entreprise depuis l'édition Langlois (*supra*, III), dont le premier volume contient un inventaire des rimes et une analyse de la langue de GdL et de JdM. A signaler quelques travaux utiles :

BATANY (*supra*, VII).

GARVEY (SR. C.), *The Syntax of the Declinable Words in the RdR*, Catholic Univ. of Amer. Publications, Washington, 1936.

HAM (E. B.), « Régionalismes dans le RdR », *Mélanges... Charles Bruneau*, 1954, p. 235-239.

HEINRICH (F.), *Uber den Stil von Gdl und JdM*, Marburg diss. 1885. Ausgaben und Abhandlungen aus dem Gebiete der romanischen Philologie, XXIX.

HILDER (G.), *Der scolastische Wortshatz bei JdM*, beihefte zur ZFRP, 129, 1972.

IX. La fortune du Roman de la Rose :

BENEDETTO (L. F.), *Il Roman de la Rose e la letteratura italiana*, Halle, 1910.

GdL et JdM, *Le RdR dans la version attribuée à Clément Marot*, pub. par S. F. BARIDON, intr. d'A. Viscardi, 2 vol., Milan 1954-1957.

BOURDILLON (F. W.), *The Early Editions of the RdR*, Londres, 1906.

FANSLER (DEAN S.), *Chaucer and the RdR*, New York, 1914.

FLEMING (J. V.), « The moral reputation of the RdR before 1400 », *Romance Philology*, 8 (1964-65), p. 430-435.

HUIZINGA (J.), *Le Déclin du Moyen Age*, trad. Bastin, Paris, 1932.

JUNG (M.-R.), « Gui de Mori et GdL », *Vox Romanica*, 27 (1968), p. 105-137.

LANGLOIS (E.), « Le Traité de Gerson contre le RdR », *Romania* 45 (1918), p. 23-28.

LECOY (F.), « Une mention du RdR au XVIe s. », *Romania* 87 (1966), p. 119-120.

NICHOLS (ST. G.), « Marot, Villon and the RdR. A Study in the language of creation and recreation », *Studies in Philology* 43 (1960), p. 135-143 et 64 (1967), p. 25-47.

PIAGET (A.), « Chronologie des épîtres sur le RdR », *Études romanes dédiées à Gaston Paris*, 1891, p. 113 et suiv.

POTANSKY (P.), *Der Streit in dem Rosenroman*, München, 1972.

SICILIANO (I.), *François Villon et les thèmes poétiques du Moyen Age*, Paris, 1934.

WARD (C. F.), *The Epistles on the Romance of the Rose and other Documents in the Debate*, Chicago, 1911.

WIMSATT (J. I.), *Allegory and Mirror. Tradition and Structure in middle English Literatur*, New York, 1970.

En préparation : BADEL (Y.), *Étude sur « le Roman de la Rose » et son influence* (thèse de doctorat d'État).

Signalons également les recherches d'Y. ROGUET, qui nous a communiqué ses premières observations sur l'œuvre de J d M.

REMARQUES SUR LA LANGUE
ET LA VERSIFICATION

Les multiples versions, variantes et erreurs des manuscrits compliquent la tâche de celui qui veut retrouver la langue du texte original. Les rimes et les rythmes nous fournissent la seule donnée positive sur la prononciation et la morphologie. Mais, à partir de là, le travail de reconstitution reste problématique. E. Langlois a cherché dans les chartes de l'Orléanais les formes qu'ont dû connaître et utiliser Guillaume de Lorris et Jean de Meun. On imagine ainsi un certain dialecte, que Miss Pope appellera du centre, ou plus exactement « South Centre » (*From Latin to modern French*, Manchester, 1934, p. 498-500).

La description de ce prétendu dialecte, à partir du *Roman de la Rose*, reste incertaine. On relève des rimes du type *au vent/devant* (v. 2507-2508) ; *corageus/geus* = jeux (v. 2173-2174) ; *esveill/je veill* (v. 10795-10796). Ces faits témoignent d'une évolution phonétique apparentée à celle du francien. On note d'autre part des rimes comme *a l'air/valair* = valoir (v. 8845-8846) ; *n'avré/navré* (v. 15252-15253) *occierre/pierre* (v. 6161-6162) ; *poi* = peu/*poi* = je pus (v. 707-708). Ce sont des traits que l'on retrouve dans les dialectes de l'ouest. Enfin des formes *diaut/viaut* de doloir et voloir (v. 2749-2750), *Bretaigne/enseigne* (v. 1175-1176) font penser aux dialectes de Champagne et Bourgogne. Et tout cela peut s'expliquer, en effet, par des raisons géographiques.

Si l'on regarde les manuscrits sans chercher à les ramener à un système unique, on constate évidemment des variations qui tiennent à leur date, et à l'évolution de la langue ; d'autres à la région où écrit le copiste. Mais il semble que les auteurs, et pas seulement les copistes, utilisent concurremment diverses formes du même mot, apparemment pour les commodités de la rime et du rythme *(elle, el; fleches, floches)*. Il faudrait voir si le langage de nos deux poètes n'est pas artificiel, c'est-à-dire littéraire.

C'est en tout cas un langage poétique, et à ce titre il doit être utilisé avec précaution par les historiens de la langue. Il convient surtout de distinguer ce qui relève de chaque poète. Ainsi Guillaume de Lorris travaille dans une perspective courtoise et conservatrice. Son modèle pourrait avoir été Chrétien de Troyes, notamment pour l'ajustement de la phrase à l'octosyllabe narratif, pour la syntaxe de l'analyse dans le discours direct, et pour le choix d'un vocabulaire limité. La parenté avec le lyrisme des trouvères apparaît dans le rôle directeur joué par les substantifs abstraits, dans l'importance des adjectifs pour exprimer les qualités esthétiques et morales, dans l'orientation hyperbolique du style. Tous les effets sont au service d'une vision idéalisante. Même la description de la douleur et de la laideur se fait par le détour d'un vocabulaire moral qui en atténue le réalisme. Toutefois les portraits des personnifications figurées sur le mur du verger sont une tentative intéressante pour exprimer ce qui est refusé par la vision courtoise; c'est ce que Jean de Meun voudra reprendre.

Le travail le plus intéressant de Guillaume résulte de son projet narratif à la première personne. Si l'unité syntaxique de base reste limitée à deux ou trois vers, deux vers et demi par rejet ou enjambement (où l'on devine l'influence de la poésie lyrique), le dédoublement du récit dans le miroir de la conscience qui s'analyse entraîne une subordination plus complexe que chez les romanciers. La proposition principale comporte souvent un verbe de perception (je vis, j'entendis) ou d'intention. Dans un décor dont est ainsi soulignée la subjectivité on assiste à la naissance de l'action dans le doute, l'indétermination; d'où les nombreuses interrogations indirectes, le conditionnel, le subjonctif.

L'économie des moyens, la pauvreté du lexique sont compensées par le style allégorique qui permet d'appliquer à différents domaines de la pensée le même système de relations. A première vue l'allégorie est tautologique. L'image renvoie à la définition, la relative paraphrase l'adjectif; le superlatif n'ajoute rien à la qualité qu'il multiplie selon les conventions de la politesse mondaine. Même la litote n'est que l'envers de la banalité; l'envers précède l'endroit :

« *Franchise,/qui n'estoit pas brune ne bise,/ainz estoit blanche plus que nois* (neige) ». Mais grâce à l'allégorie le vocabulaire féodal, militaire et politique permet d'explorer le labyrinthe du sentiment amoureux.

Au total ce langage, fortement cimenté par des rimes riches

(elles remontent au moins jusqu'à la consonne précédent la syllabe accentuée, pour les rimes masculines) traduit l'effort vers la distinction, la pureté et l'élégance d'un auteur « bien emparlé », comme son personnage Franchise. Règne de l'artificiel, où nous reconnaissons l'idéal d'une société aristocratique.

On sait que les conceptions de Jean de Meun sont très différentes, et qu'il a même voulu choquer ses lecteurs en employant précisément les mots interdits. Attentat délibéré contre le langage courtois, qui impose au langage poétique une tâche très difficile, car il doit s'imposer sans le secours d'un code littéraire bien défini.

Par compensation le poète commence par renforcer la contrainte de la rime (pour les syllabes masculines la rime commence le plus souvent à la voyelle précédent la syllabe accentuée : *faillans/vaillans*). N'oublions pas la fonction pratique de la versification, qui est de contrôler le travail des copistes et de rythmer la lecture. Mais la rime est aussi le lieu où s'exerce l'imagination linguistique, dans un effort pour établir une correspondance entre les mots. Cela nous vaut, assurément, des chevilles et des couples de rimes automatiques comme *avoir* substantif et *avoir* infinitif. Mais aussi des trouvailles donnent au langage une ingéniosité amusante, telle l'apparition d'une araignée dans l'inventaire du corps féminin (*ireignie/enseignie*, v. 13307-13308). La rime crée un certain dépaysement dans l'univers familier; elle est l'instrument du bizarre.

Mais cet exercice discipliné de la rime s'accompagne d'une grande liberté dans les emprunts de vocabulaire. Le langage poétique se met à exploiter les champs sémantiques de la satire, de la théologie, de la technique, de la scolastique. La nouveauté de ces emprunts est d'autant plus sensible qu'ils se présentent souvent sous forme énumérative. Alors que le langage emblématique de Guillaume de Lorris se contente d'un exemple concret pour illustrer une idée abstraite, le langage énumératif ne craint pas de citer tout un bestiaire pour concrétiser une notion comme celle de la conscience, que précisément les animaux n'ont pas (v. 17770 et suiv.). Habituellement on se contente d'un couple de substantifs ou d'une série ternaire : *blés et vignes; fleurs et fruiz; tabourent, timbrent et trompent*. L'ampleur des phrases rend plus précieuse l'organisation par la rhétorique.

En effet le style périodique bouleverse les habitudes du langage poétique. Jean de Meun peut lancer un sujet :

« *Cil Diex qui de biautez habonde* » (v. 16699), puis vient une
cascade de relatives, de conjonctives temporelles, dont la
logique est rompue par des réflexions parenthétiques, des
récits secondaires, avant que n'intervienne enfin, quarante
vers plus loin, la reprise du sujet : « *cil Diex meismes* » amenant
la série des verbes principaux.

Autre bouleversement : la fréquence du style direct
s'accompagne des habitudes du langage parlé, avec ses
nombreuses exclamations, invocations et jurements, ses
locutions proverbiales et imagées, cette vivacité qui nous
semble populaire, mais qui est simplement humaine. Nous
savons l'importance du dialogue pour la démonstration des
idées, chez Jean de Meun. Rappelons que sa logique implique
une marche progressive vers la vérité. Ainsi il y a place pour
les objections (beaucoup de phrases commencent par *mais*),
et pour les spéculations sur le domaine du pur possible.

Mais surtout ce langage est celui de la métamorphose. Pour
traduire la durée, il recherche les valeurs d'aspect dans le
système verbal. Un grand usage est fait des formes progres-
sives : le monde « *s'en va deduiant, ravissant* » « *qui vont
contre lui gravissant* » (v. 16777-16782). Pour reproduire le
flux de la pensée, avec ses cassures, il retrouve les mouvements du monologue dramatique : « *A poi que ne me
desespoir/Desespoir? las! je non feré* » (v. 4030-4031). Pour
suivre le changement des qualités, des couleurs, de la lumière,
il accumule les mots évocateurs; ainsi en une vingtaine de
vers (16893-16916) *clarté, esteles, lune, chandeles, luminaire,
naire, tenebreuse, clarté joieuse, reflambaianz, occurci, raianz.*
Est-ce l'imagination, la culture, la logique ou la poétique qui
assurent ce contrôle de la diversité et lui imposent une progression, un sens, un ordre? Un peu de tout cela est nécessaire pour inventer un langage qui, rompant avec la tradition courtoise, traduit l'ordre de la nature et le désordre de
la société.

TABLEAU CHRONOLOGIQUE
DU XIIIe SIÈCLE

1208   Croisade contre les Albigeois.
1219   Installation des Franciscains en France.
1220 et suiv.   Construction de la cathédrale d'Amiens.
1223   Mort de Philippe Auguste.
1226-1270   Règne de Louis IX (saint Louis).
1229-1231   Inquisition dans le Languedoc. Grèves à l'Université de Paris.
1230-1245?   Guillaume de Lorris écrit le *Roman de la Rose*.
1231   L'Inquisition est confiée aux ordres mendiants. Bulle pontificale en faveur de l'université de Paris.
1240   Traduction de l'*Éthique* d'Aristote (en latin).
1243-1254   Pontificat d'Innocent IV.
1245-1248   Enseignement de saint Albert le Grand à Paris.
1248-1256   Enseignement de saint Bonaventure à Paris.
1248-1254   Croisade de saint Louis en Égypte.
1252   Lutte des maîtres séculiers de Paris contre les ordres mendiants.
1252-1259   Thomas d'Aquin enseigne à Paris.
1254   *De periculis*, de Guillaume de Saint-Amour.
1255   Alexandre IV révoque les mesures prises à Paris contre les ordres mendiants.
1257   L'université de Paris se soumet au pape.
1258   Robert de Sorbon fonde un collège pour les théologiens.
1259   Saint Thomas : *Somme contre les gentils*. Rutebeuf : *le Dit des Règles* (contre les ordres mendiants).
1260   Sculptures du portail de la Vierge à Notre-Dame de Paris.
1261   Saint Thomas : *Les Commentaires d'Aristote*.
1267   Brunet Latin : *Le Livre du Trésor*. Saint Thomas commence la *Somme Théologique*.
1270   Mort de Louis IX à Tunis. Avènement de Philippe le Hardi.
1270-1285?   Jean de Meun continue le *Roman de la Rose*.
1277   Condamnation des doctrines averroïstes et de certaines idées thomistes par l'évêque de Paris, Étienne Tempier.

NOTES SUR LES AUTEURS
ET LES ŒUVRES DU MOYEN AGE

ABELARD (PIERRE). Philosophe original s'opposant au réalisme platonicien, il démontre que les genres et les espèces ne sont que des *mots*, des *universaux*. Son œuvre comporte outre des écrits dialectiques, des traités de théologie, sa correspondance avec Héloïse, et des poèmes en latin (1079-1142).

AELRED DE RIEVAUX. Abbé cistercien, disciple de saint Bernard, auteur du *Speculum caritatis* (1110-1167).

ALAIN DE LILLE. Il enseigne à Paris et à Montpellier. Outre ses œuvres didactiques et polémiques, il compose le *De planctu Naturae*, où Nature expose l'ordre idéal du monde, et l'*Anticlaudianus*, épopée cosmologique de 4 000 hexamètres (1128-1202).

ANDRÉ LE CHAPELAIN. Il écrit pour Marie de Champagne, vers 1185, un traité latin : *De Amore*, où nous reconnaissons la doctrine de l'amour courtois habillée à la mode scolastique. Les conventions sociales y sont nettement opposées à Nature.

BERNARD SYLVESTRE. Son *De mundi universitate* (vers 1145-1153) est une somme encyclopédique où, avec une allégorie de la nature, sont développées des idées néoplatoniciennes.

BOECE. C'est par lui d'abord que l'héritage antique est transmis au Moyen Age. *Sa Consolatio Philosophiae* a servi de modèle littéraire en même temps que d'exemple de sagesse. Son inspiration platonicienne ne l'empêche pas de passer pour un martyr de la foi chrétienne (480-524).

CHARTRES (ÉCOLE DE). Durant la première moitié du XIIe siècle, le prestige de cette école est considérable. Son enseignement cherche à assurer un équilibre entre toutes les disciplines y compris les Belles Lettres. On y manifeste une prédilection pour les auteurs platonisants. Les principaux textes de référence restent le *Parménide* et le *Timée*. Appartiennent à cette école, après l'évêque Yves de Chartres, les chanceliers Bernard de Chartres, Gilbert de la Porrée et Thierry de Chartres, enfin et surtout l'évêque Jean de Salisbury.

CHRÉTIEN DE TROYES. Ce grand romancier compose (vers 1160-1180) la plupart de ses œuvres pour la cour de Marie de Champagne, et la dernière pour Philippe comte de Flandres. Cinq romans nous ont été conservés : *Érec et Énide, Cligès, Le Chevalier à la Charrete, Yvain ou le Chevalier au Lion, le Conte du Graal*. Légendes de Bretagne, récits antiques, thèmes lyriques et idées courtoises sont associés à la recherche d'un idéal moral exaltant la chevalerie.

Couronnement de Renart. Ce poème satirique de 3398 vers raconte comment le goupil, représentant les ordres mendiants, parvient à s'emparer du pouvoir (entre 1288 et 1295).

Fauvel (Roman de). Poème de 3280 vers ; le premier livre décrit les ravages de l'animal dont le nom est fait des initiales de Fausseté, Avarice, Vilenie, Variété, Envie et Lâcheté. Le deuxième livre raconte ses relations avec Fortune et Vaine Gloire (1310-1314).

GUILLAUME DE CONCHES. Élève de Bernard de Chartres, maître de Jean de Salisbury, ce grammairien écrit entre 1120 et 1154 des commentaires sur Platon, Boèce et Macrobe.

GUILLAUME DE DOLE. Roman de Jean Renart, parfois intitulé *Roman de la Rose*, parce que l'héroïne porte sur sa cuisse un signe qui ressemble à une rose (1228).

HENRI D'ANDELI. Auteur de fabliaux *(Lai d'Aristote)* et de poèmes burlesques *(La Bataille des vins)*, il participe aux querelles universitaires qu'évoque la *Bataille des sept arts* (après 1236).

HUON DE MÉRY. Auteur d'une épopée allégorique, *Le Tournoiement de l'Antéchrist* (1234).

JEAN DE GARLANDE. Professeur à l'université de Toulouse (1229-1232) puis à Paris, il compose de nombreux traités sur les arts libéraux, un commentaire des *Métamorphoses (Integumenta Ovidii)* et des poèmes pieux en latin.

JEAN DE SALISBURY. Élève à Chartres et à Paris, secrétaire de Thomas Becket, enfin évêque de Chartres, il est l'auteur de trois ouvrages philosophiques et satiriques : l'*Entheticus* (1155), le *Policraticus* (1159) et le *Metalogicon*.

JOACHIM DE FIORE. Cistercien, il fonde en Calabre, un ordre qui sera condamné en 1215 : nouveau prophète, il a cru pouvoir annoncer le règne du Saint Esprit (il meurt en 1202).

MARTIANUS CAPELLA. Ce carthaginois systématise la doctrine des arts libéraux dans son *De Nuptiis Philologiae et Mercurii*, œuvre allégorique où se mêlent diverses influences, dont celle de l'auteur ésotérique Apulée (début du ve siècle).

RAOUL DE HOUDENC. Auteur du *Roman des ailes*, poème didactique de forme allégorique sur l'idéal de chevalerie (avant 1234).

RECLUS DE MOLLIENS. Moine des environs d'Amiens, il confie ses idées moralisatrices à un *Roman de carité*, et à un *Miserere* plus nettement satirique (vers 1224-1230).

ROBERT DE BLOIS. Poète courtois, auteur de deux romans (*Beaudous* et *Floris et Lyriopé*), il compose trois œuvres didactiques : le *Chastoiement des Dames*, l'*Honneur des Dames* et l'*Enseignement des Princes* (milieu du xiiie siècle).

SIGER DE BRABANT. Il anime vers 1265 un mouvement d'idées qui se veut strictement philosophique. Son système se fonde sur la théorie aristotélicienne de la connaissance. On attribue ses plus grandes audaces à l'influence d'Averroès, philosophe arabe de la fin du xiie siècle. Ses idées sont condamnées en 1277.

VINCENT DE BEAUVAIS. Frère prêcheur, ami de Louis IX, il laisse la plus grande encyclopédie du xiiie siècle : *Speculum naturale, Sp. doctrinale, Sp. historiale* (il meurt en 1264).

TABLE DES MATIÈRES

IMPRIMERIE BERGER-LEVRAULT, NANCY — 778632-12-73.
DÉPÔT LÉGAL Nº 2217 - 4ᵉ TRIMESTRE 1973.

DATE